有罪か
無罪か?
常識の死角

3分間サバイバル

あかね書房

もくじ

01

悪いのはだれ？

責任《せきにん》↓どこ？

めずらしく大雪の降《ふ》った翌日《よくじつ》の朝。

オノデラ氏は駐車場《ちゅうしゃじょう》で、車を目にして絶句《ぜっく》した。

カチカチにこおった雪のかたまりが、車の屋根にめりこんでいる。

昨夜、彼《かれ》は雪が降《ふ》りやんでから車に積もった雪を落としておいた。

夜中にこおりついてしまう前に雪をかたづけておこうと思ったのだ。それから朝の間に、ことは起こったわけである。

（だれがこんないたずらを……!?）

思わず天をあおいだオノデラ氏はハッとした。

電線に雪が積もっているのだが——この車の真上の部分だけ雪がない。

この付近には大きな鉄塔《てっとう》があり、たくさんの電線が空を走っている。

平行に連なる太い電線に積もった雪どうしがくっついてかたまり、落下したらしい。

（めんどうなことになったなぁ。）

オノデラ氏は深いため息をついた。

よけい悪いことに、それは彼《かれ》の車ではなく——自分の車を修理《しゅうり》に出している間に代車として借りたものなのである。

オノデラ氏は電線や車の状態《じょうたい》を写真におさめると、急いで家にもどった。

まず、オノデラ氏がやったのは、車両保険《ほけん》の書類を探《さが》しだすことだ。

もしこれが自分の車だったなら、大雪で被害《ひがい》にあった場合、加入している車両保《ほ》険《けん》で修理代《しゅうりだい》がまかなわれるはずだ。

（でも、借り物の車の場合は、どうなるんだ？）

あせっているせいか書類を読んでも頭に入ってこないので、オノデラ氏は車を借りている修理屋《しゅうりや》に電話してみた。

しかし、返事はつれないものだった。

「この場合はお客様の過失《かしつ》ですので、代車の修理代《しゅうりだい》は負担《ふたん》していただくことになります。」

オノデラ氏は頭をかかえた。

ただでさえ自分の車の修理代《しゅうりだい》にお金がかかるのに、借りている車の修理代《しゅうりだい》まで払《はら》わなければならないとは、出費《しゅっぴ》がかさみすぎる。

「いくらかかるんですかね？」

「車両の様子を見ないとはっきりしたことは言えませんが、おそらく最低でも10万円はかかるのではないかと思います。」

「なんとかならないのかなぁ？　今預《あず》けている車の修理代《しゅうりだい》だけでもかなりの金額《きんがく》をお宅《たく》に払《はら》うわけだし……。」

ズバリ「これは不運な事故《じこ》で、そっちは修理屋《しゅうりや》なんだから負けてくれ！」と言いたいのをおさえつつ、オノデラ氏は必死に食い下がる。

「お気の毒《どく》ですが、それは別の件《けん》になりますので。」

オノデラ氏はがっかりして電話を切った。


(そういえば、オレが契約《けいやく》している火災保険《かさいほけん》では、建物と家財道具《かざいどうぐ》に保険《ほけん》をかけてたっけ。確《たし》か、火事だけじゃなく自然災害《さいがい》で被害《ひがい》を受けた場合も対象《たいしょう》になるんじゃなかったかな。)

調べてみると、彼《かれ》が加入している火災保険《かさいほけん》では「大雪で外壁《がいへき》がこわれ、家の中に流れこんだ雪で家財《かざい》がこわれた」というケースでは保障《ほしょう》がおりるようだ。

今度こそ希望の光が見えたと思ったが——。

保険会社《ほけんがいしゃ》に電話してみると「車は家財《かざい》道具にはふくまれない」という返事が返ってきたのだ。


(自然災害《さいがい》のせいで金を払《はら》うなんて納得《なっとく》がいかないよな。それにしても、車に積もった雪を落とさなければクッションになって屋根がへこむこともなかったのかな。そもそもオレの駐車《ちゅうしゃ》スペースがあの電線の真下じゃなければ……。同じ駐車場《ちゅうしゃじょう》で、こんな目にあったのはオレだけなんて運が悪すぎる！　いや、今、そんなことを言ってもしょうがないけど。）

オノデラ氏は何かいい案はないか、考え続けた。

（そうだ、なんで先にこれを思いつかなかったんだろう。）

彼《かれ》が次に電話したのは、駐車場《ちゅうしゃじょう》の貸主《かしぬし》である大家だった。

（事故《じこ》が起こった場所を管理している人に責任《せきにん》があるはずだ。）

「そんな事故《じこ》が起きるなんてオノデラさんに予想できなかったんなら、わたしにだって予想できるはずないでしょ？　うちからは払《はら》えませんね。」

ピシャリと断《ことわ》られてしまった。

だが、オノデラ氏はあきらめることがきらいな男だった。

そして、ついに修理代《しゅうりだい》をもらうことに成功したのである。

オノデラ氏は、「雪が落ちて車の屋根がへこんだ事故《じこ》」の責任《せきにん》がある人から修理代《しゅうりだい》をもらえることになった。修理代《しゅうりだい》を払《はら》う義務《ぎむ》があるのはだれだろうか。

こおった雪のかたまりは電線に積もっており、電線がなければこの事故《じこ》は起こらなかった。そこでオノデラ氏は電線を管理している電力会社《でんりょくがいしゃ》に訴《うった》え、修理《しゅうり》代金を支《し》払《はら》ってもらうことができたのだ。これは実際《じっさい》にあった事件《じけん》をもとにした話。

こうした破損事故《はそんじこ》が起こった場合、「管理責任《せきにん》はどこにあるか？」を考えなくてはならない。もともと雪の多い地域《ちいき》であれば、駐車場《ちゅうしゃじょう》にじょうぶな屋根が設置《せっち》されているなど対策《たいさく》が取られているだろう。ちょっとした条件《じょうけん》のちがいで「責任《せきにん》はどこにあるか？」の答えは変わってくる。このケースでは、オノデラ氏が証拠《しょうこ》写真を撮《と》っておいたのがよかった。「事故《じこ》の原因《げんいん》は電線にある＝電線の所有者に責任《せきにん》がある」ことが一目瞭然《いちもくりょうぜん》なので、電力会社《でんりょくがいしゃ》も非《ひ》を認《みと》めざるを得《え》なかったのだ。

だが、もし裁判《さいばん》になった場合、１００％《パーセント》オノデラ氏が勝つとは言い切れない微《び》妙《みょう》な案件《あんけん》だ。ただし、裁判《さいばん》にはぼう大な時間とお金と労力がかかるので、このくらいの事件《じけん》ならば話し合いで解決《かいけつ》する方がお互《たが》いのためである。

02

黒《くろ》革《かわ》の上着

盗難《とうなん》→決着？

「ウインドーにかざってある黒革《くろかわ》のジャケットを見せてください。」

店のドアを開けるなり、その男性《だんせい》は興奮《こうふん》した様子でこう言ったのだ。

「はい、ちょっとお待ちくださいね。」

わたしはレジをはなれ、彼《かれ》にほほえみかけた。

黒革《くろかわ》のジャケットなんて世の中にいくらでもあるが、これのよさがわかるとは目が高い！　うちはいろんなタイプの古着を並《なら》べた店だが、革製品《かわせいひん》には特に力を入れている。

このジャケットのなめらかな革《かわ》の手ざわりにはほれぼれする。革《かわ》が好きな人はみんな絶賛《ぜっさん》するが、値段《ねだん》が高いのでなかなか売れない。この冬のうちに売りたいと思って、１週間ほど前にウインドーに出したところだったのだ。この人ならサイズもぴったり合いそうだ。

「そこに鏡がありますから。」

ジャケットを差し出すと、お客は言ったのだ。

「あの……今、ちょっと見ていただきたいんですが。ジャケットの内ポケットのところに、『ｍａｓａｓｈｉ《マサシ》』とししゅうが入っていませんか？」

驚《おどろ》いて確《たし》かめると――彼《かれ》が言った通りのししゅうが入っている。

「これはぼくが盗《ぬす》まれたものにまちがいありません！」

そのお客――シマモトマサシ氏は、10か月ほど前にそのジャケットを盗《ぬす》まれたのだという。

「広いフードコートでイスにこのジャケットをかけて、トイレに行っている間にやられたんです。とても大事にしていたジャケットなのでくやしくてね。盗難届《とうなんとど》けも出したんですが、目撃者《もくげきしゃ》もいなくて――あきらめかけていたんですが、まさかこんなところで出会えるとは。」

シマモト氏は、わたしに探《さぐ》るような視線《しせん》を向ける。

「このジャケットを、どのように入手されたのか教えてもらえませんか？　だれかが直接《ちょくせつ》売りに来たんですか？　それともネットオークションとか？」

もしかして、わたしも疑《うたが》われているのか？　こみ上げてくる怒《いか》りをグッとおさえる。まあ、古物商なんて得体《えたい》が知れないと思われているんだろうが、商売の仕組みは新品の洋服屋と変わりはない。

「うちでは、個人《こじん》の方から買い取りをすることはほとんどありません。このジャケットは、古物市場で仕入れたものです。」

「古物市場？」

「うちのような古着屋とか、古道具屋の人が商品を仕入れる場所です。そこで中古品を、安い仕入れ値《ね》で買ってくるわけです。もちろん一般《いっぱん》の人は入れないですよ。古物商許可証《きょかしょう》を持っている人しか出入りできません。ジャケットを盗《ぬす》んだ人がどこかに売って、めぐりめぐって古物市場に流れ着いたんじゃないでしょうか。」

「なるほど、そうですか。」

シマモト氏は、わたしがつけた「5万5000円」の値札《ねふだ》をしげしげとながめている。そして、驚《おどろ》くべきことを言ったのだ。

「これがぼくの持ち物だったことははっきりしていますよね。ししゅうがあることで証明《しょうめい》できますし、盗《ぬす》まれたときに警察《けいさつ》に盗難届《とうなんとど》けも出しています。だから、タダで返してもらえませんか？」

「え。」

冗談《じょうだん》じゃないぞ！

「盗《ぬす》まれたのはお気の毒《どく》だと思います。でも、うちとしてはちゃんとしたルートで入荷した商品です。この値段《ねだん》で買っていただくしか……。」

しかし、シマモト氏もゆずらない。

「もともと自分のものなのに5万5000円も出して買えっていうんですか？最初に新品で買ったとき10万円もしたんですよ。」

「その話は関係ないでしょう？　わたしだって、古物市場に2万円を払《はら》って仕入れたんです。仕入れをした証拠《しょうこ》の伝票だって残っています。わたしが盗《ぬす》んだわけじゃないのに2万円も損《そん》するのはおかしいじゃないですか。」

わたしとシマモト氏はにらみあった。

そこに、たまたまわたしの友人でもある弁護士《べんごし》のヤナギがやってきた。

わたしはヤナギにわけを説明し、彼《かれ》の肩《かた》をたたいて言ったのだ。

「さあ、この問題を法律的《ほうりつてき》に正しい解決《かいけつ》に導《みちび》いてくれ。頼《たの》むぞ！」

シマモト氏と主人公、どちらの言い分が通ったのだろうか。

解説《かいせつ》

主人公はシマモト氏に無料でジャケットをわたすことになった。こうしたケースの場合、ジャケットが盗《ぬす》まれた日から「1年以内」なら、もとの持ち主にタダで返さなければならないのだ。同じ条件《じょうけん》でも「1年以上2年以内」なら、仕入れたときの値段《ねだん》（この場合は2万円）を負担《ふたん》してもらうことができる。また「2年以上」たつと古物商の所有物ということになり、返す義務《ぎむ》はない。つまり、5万5000円で売ることも可能《かのう》なのだ。

ちなみにシマモト氏はさすがに主人公をかわいそうと思ったのか、他の商品を買ってくれたそうだ。

この話では、主人公はジャケットが盗品《とうひん》だと気づける機会はなかった。だが、もし、盗《ぬす》んだ犯人《はんにん》が直接《ちょくせつ》店に持ちこんできて「何かあやしい」と思いつつ買い取った場合や、注意すれば盗品《とうひん》だと気づくことができた場合は、何年たっていてももとの持ち主にタダで返さなくてはならない。

03

絵がうまい少年

権利《けんり》→侵害《しんがい》？

ワタルがベニヤ板に筆を走らせるのを、たくさんの人が囲《かこ》んで見守っている。

コイの男の子のキャラクターが川から元気よくとびだしている絵——ワタルはそこに白いペンキで水しぶきをていねいに描《か》きこんだ。画面はいっそうイキイキとした雰囲気《ふんいき》になっていく。

細かいところを直し終わって、ワタルがふうっと息をはくと、まわりの人たちがパチパチ拍手《はくしゅ》をした。

「ワタルくんってホントに絵が上手ね。」

「すごいよ。本物そっくり！」

みんなにほめられて、ワタルは照れくさそうに笑う。

ワタルが描《か》きあげたのは、明日から2日間、市のコミュニティセンターで開催《かいさい》される夏祭りの看板《かんばん》だ。

ふだん、ワタルはここで行われている高校生向けの美術教室《びじゅつきょうしつ》に通っている。中でもとびぬけて絵がうまいので、この役目をおおせつかったのだ。

センターの職員《しょくいん》さんからは「小さい子が好きなキャラクターを描《か》いてほしい」というリクエストが寄《よ》せられた。小学生たちにアンケートをとってみると、人気マンガ『すいすいミラクル☆お魚ボーイ・コイ三郎《さぶろう》』の主人公、コイ三郎《さぶろう》がぶっちぎりの第1位。

そこで、ワタルはマンガを片手《かたて》にせっせとコイ三郎《さぶろう》の絵を練習してきたのだ。

夏祭りには、午前からたくさんの人たちが集まってきた。

屋内では合唱や人形劇《にんぎょうげき》、カラオケ大会などが始まっている。

外ではは金魚すくいに、ヨーヨーつり。地域《ちいき》の人が育てた鉢植《はちう》えや、手作りバッジのお店、わたあめや焼きそばの屋台も並《なら》んで大盛況《だいせいきょう》だ。

ワタルは看板《かんばん》を描《か》いた手前、早くからやって来たものの、すでに時間を持てあましていた。

(帰ろうかな。)

そう思っていると、近所の顔見知りの男の子がかけ寄《よ》ってきた。

「ねえ、この看板《かんばん》、お兄ちゃんが描《か》いたってホント?」

「うん、そうだよ。」

そう言うと、男の子は目を輝《かがや》かせる。

「ねえ、ぼくにコイ三郎《さぶろう》の絵を描《か》いてよ!」

「ああ、いいよ。」

ワタルは油性《ゆせい》ペンでコイ三郎《さぶろう》を描《か》いてやった。すると、いつのまにか子どもたちが集まって「次はぼく」「あたしが先よ!」と大さわぎになっている。

職員《しょくいん》の人が机《つくえ》とイス、スケッチブックと油性《ゆせい》ペンを用意してくれ、順番待ちの子どもを並《なら》ばせる。

（なんだかサイン会みたいだな。）

ワタルはちょっとうれしくなって、リクエストされるまま次々《つぎつぎ》に描《か》いていく。

ようやく子どもたちの一団《いちだん》が片《かた》づくと——男の人がヒョイと腰《こし》かけた。

「あの、大人だけどいいですか？　コイ三郎《さぶろう》、大好きなんで。」

「もちろんですよ。」

すると、男の人は遠慮《えんりょ》なく「コイ三郎《さぶろう》が眠《ねむ》っているところ」とか「野球をしてるところ」などと何枚《まい》もリクエストしてくるのだ。

（この人、オタクってヤツだな。）

ワタルは苦笑したが、それでも「すごく上手だねぇ。イラストレーターかマンガ家になれるよ」などと絶賛《ぜっさん》されるので悪くない気分だ。


ところが、しばらくして。ワタルのもとに警察《けいさつ》から問い合わせがあったのだ。

「コイ三郎《さぶろう》のキャラクターを大量に描《か》いたのはあなたですか？」

あの男がワタルの描《か》いた絵を、コイ三郎《さぶろう》の生みの親であるマンガ家・カワカミタンボの「直筆原画」としてオークションに高額《こうがく》で出品したのだという。

ニセモノだとバレてあの男が訴《うった》えられたので、調査《ちょうさ》は絵の描《か》き手におよんだわけなのだ。

ワタルはうらめしそうにため息をついた。

（あんなにソックリに描《か》いたのがまずかったのか？　もしかしてオレ、共犯者《きょうはんしゃ》になるのかな……。）

ワタルは有罪《ゆうざい》か。それとも無罪《むざい》だろうか。

解説《かいせつ》

ワタルは無罪《むざい》。もし、他人の生み出したキャラクターを描《か》いてお金を取った場合は「著作権侵害《ちょさくけんしんがい》」という罪《つみ》になる。著作権《ちょさくけん》とは、個人《こじん》の著作物《ちょさくぶつ》（小説、マンガ、音楽、美術《びじゅつ》作品、写真や映画《えいが》など）を、他人に勝手に利用されない権利《けんり》のことだ。

ワタルに描《か》かせた絵を「マンガ家・カワカミタンボの直筆原画」と偽《いつわ》って売ろうとした男は完全にアウト。本物だと思って買った人がいれば「詐欺罪《さぎざい》」も成立する。ワタルはこんなふうに悪用されるとは思わなかったので、無罪《むざい》なのだ。

実物そっくりの絵を描《か》いても、マンガの作者の不利益《りえき》に結びつかないなら、罪《つみ》にはならない。ちなみに地域《ちいき》のお祭りの看板《かんばん》に既製《きせい》のキャラクターを描《か》くのはセーフ。学校や地域《ちいき》活動のように、商売を目的としない行事の場では、例外的に認《みと》められる。だが、スーパーマーケットの大売り出しの看板《かんばん》やチラシに描《か》いてしまうのはアウト。そっくりではなくても、特徴的《とくちょうてき》に「あのキャラクターだ」とわかる時点で著作権侵害《ちょさくけんしんがい》になる。

04

ホットコーヒー事件《じけん》

裁判《さいばん》↓判決《はんけつ》？

1992年、アメリカはニューメキシコ州にて。

「おばあちゃん、この駐車場《ちゅうしゃじょう》で食べていきましょうね。」

「ええ、ジュディ。そうしましょう。」

運転席の孫娘《まごむすめ》に声をかけられ、ステラは車の助手席でガサガサと紙袋《かみぶくろ》を開いた。

2人はたった今、ファストフード店「M《エム》」で朝食をテイクアウトしたところだ。

ステラはホットコーヒーのカップをひざの間にはさんだ。ミルクと砂糖《さとう》を入れるため、フタを開けようとしたとき。

「キャーッ！」

カップがかたむいて、コーヒーをぶちまけてしまったのだ。

「おばあちゃん、だいじょうぶ？」

「熱い、熱い！」

ステラは転がるように車外に飛び出した。ジュディも車から降《お》り、コーヒーに染《そ》まったステラの服をそっとめくってみる。

「ひどいやけどだわ。おばあちゃん、服をぬいで。すぐに病院に行くわよ！」


ステラのやけどはかなりの重症《じゅうしょう》だった。皮膚《ひふ》を移植《いしょく》する手術《しゅじゅつ》をし、7日間入院した。その後2年間通院して治療《ちりょう》を受けたが、足にはやけどのあとが残った。かかった治療費《ちりょうひ》は、1万1千ドル（約110万円）。

ステラはM《エム》社に、治療費《ちりょうひ》を請求《せいきゅう》する手紙を送り、「コーヒーの温度が適切《てきせつ》かどうか確認《かくにん》をお願いしたい」と書きそえた。だが、M《エム》社からは「800ドル（約8万円）を支払《しはら》います」という返事が返ってきただけだったのである。

ステラが裁判《さいばん》を起こそうと思ったのは、この返答にがっかりしたからだ。

ステラは裁判《さいばん》を担当《たんとう》してくれることになったワグナー弁護士《べんごし》にこう語った。

「わたしはM《エム》社にホットコーヒーの温度を低くしてほしいと思っています。コーヒーをこぼしたのはわたしの過失《かしつ》ですよ。でも、ありえないような失敗じゃないでしょう？　ほかの人にこんなつらさを味わってほしくないから……。」

裁判《さいばん》にのぞんだワグナー弁護士《べんごし》は、M《エム》社のホットコーヒーについてしっかりとした資料《しりょう》を用意していた。

「M《エム》社のホットコーヒーは約82〜87度。一方、家庭用のコーヒーメーカーでは77度が一般的《いっぱんてき》です。82度のお湯を皮膚《ひふ》にこぼすと、約15秒以内に最も重いレベルのやけどを起こします。M《エム》社のコーヒーは熱すぎて危険《きけん》といえるのではないでしょうか。」

M《エム》社は反論《はんろん》する。

「お客様からは、わが社のコーヒーは『とても熱いところがいい』と評価《ひょうか》されております。また、テイクアウトのお客様なら特に、コーヒーはアツアツの方がいいはずです。」

ワグナー弁護士《べんごし》は、さらなる資料《しりょう》を提示《ていじ》した。

「ですが、M《エム》社にはステラさんと同じような苦情《くじょう》が、過去《かこ》10年間に約700件寄《けんよ》せられているそうじゃないですか。」

だが、M《エム》社側もその程度《ていど》ではひるまない。

「コーヒーの売り上げ数から算出すると、やけどの苦情《くじょう》は約240万回に1回くらいですよ。めったに起こらない……ほとんどゼロに等しいと言えます。」

（「ほとんどゼロ」ですって⁉　人の苦しみをなかったことのように言うなんて。）

ステラはくちびるをかみしめた。

ワグナー弁護士《べんごし》が、ここでステラのやけどの写真を見せると、法廷《ほうてい》からはどよめきが起こる。

「ステラさんはこのようなひどいやけどを負いました。7日間の入院の後に2年間の通院治療《ちりょう》が必要でした。お孫さんは、彼女《かのじょ》の介護《かいご》や通院の送り迎《むか》えのために仕事をやめています。総合的《そうごうてき》に見て、たいへん大きな被害《ひがい》です。」

M《エム》社は、最後まで一貫《いっかん》した態度《たいど》をつらぬいた。

「わが社のホットコーヒーは、ほかのファストフード店と比較《ひかく》しても特に熱いわけではありません。温度を下げる必要はないと考えます。」

ステラは「事故《じこ》で苦しむ人がいなくなるように」との思いから裁判《さいばん》を起こした。

M《エム》社側は、「コーヒーをこぼす事故《じこ》はほぼ起こらない」「温度が熱すぎるわけではない」との主張《しゅちょう》をくずさない。お互《たが》いの言い分ははっきりしているようだ。

判事《はんじ》は法廷《ほうてい》を見わたすと、重々《おもおも》しく言った。

「では、これから評議《ひょうぎ》を行います。」

結果、どちらが勝ったのだろうか。

勝ったのはステラ。評議《ひょうぎ》の結果、ステラのやけどは「M《エム》社に80％《パーセント》、ステラに20％《パーセント》の過失《かしつ》がある」と判定《はんてい》されたのだ。ステラとM《エム》社は話し合いによって和解《わかい》し、M《エム》社はステラに50万ドル（約５０００万円）を支払《しはら》った。そして、ホットコーヒーのカップや、ドライブスルーに「コーヒーはとても熱いです」と注意書きをするようになったのだ。アメリカでは企業《きぎょう》を罰《ばっ》する意味合いから、このような高額《こうがく》の賠償《ばいしょう》が認《みと》められている。

これは実際《じっさい》に起こった事件《じけん》をもとにした話である。この裁判《さいばん》では、M《エム》社側が「その程度《ていど》の苦情《くじょう》はゼロに等しい」と言ったことが、審議《しんぎ》を行う人の印象《いんしょう》を悪くしたともいわれている。また、ひどいやけどの写真を公開したインパクトも大きかったようだ。訴《うった》えられた側は「自分が悪い」と認《みと》めてしまうわけにはいかないだろうが——裁判《さいばん》ではこうした印象《いんしょう》や態度《たいど》が、判決《はんけつ》に影響《えいきょう》することもある。

05

ロブスター祭り

失敗→有罪《ゆうざい》？

わたしがテーブルの上にサラダやいろいろな具のサンドイッチ、スペイン風オムレツなどを並《なら》べると、みんなは歓声《かんせい》を上げて写真を撮《と》り始めた。

「タロウは技術者《ぎじゅつしゃ》じゃなくて料理人になっても成功したんじゃない？」

こんなふうに言われるとまんざらでもない。

出張《しゅっちょう》でスイスにやって来て——プロジェクトのメンバーたちとは1週間の間にずいぶん親しくなった。解散《かいさん》する前に、特に仲のいいメンバーで打ち上げパーティーをすることになり、わたしがシェフ役を買って出たわけなんだ。

家を提供《ていきょう》してくれたのは、フランスから引っ越《こ》してきたばかりのマルセル。それから、わたしと同じく母国に帰っていくインド人のクリシュナに、パキスタン人のヌスラト、アメリカ人のジョシュアが集まった。

当初はローストポークを作るつもりだったんだが、ヌスラトはイスラム教徒なので豚肉《ぶたにく》は食べられない。ヒンドゥー教徒のクリシュナは牛肉はじめ、ほとんどの肉がダメ。そこで用意したのがロブスターだ。パーティーには、ガツンと見ばえのする料理を用意したいからね。市場で買ってきたロブスターはまだ生きていて、大きなバケツの中でゴソゴソ動いている。これからゆで上げて、アツアツのところを自作の特製《とくせい》バターソースとレモンで食べてもらうんだ。

「タロウ、こっち向け！　ピースサインして、スマイルだ！」

熱湯が煮《に》え立つ大鍋《おおなべ》にロブスターを入れる我《わ》が勇姿《ゆうし》を、マルセルが撮影《さつえい》する。

「カッコいい動画が撮《と》れたぜ。さっそくSNS《エスエヌエス》にアップするよ！」

真っ赤にゆで上がったロブスターが山盛《やまも》りになったところは壮観《そうかん》だった。腹《はら》にナイフを入れて半分に切り、プリプリの身にかぶりつく。

「さすが新鮮《しんせん》だからうまいな。ゆで加減《かげん》もバッチリだ。」

もくもくとロブスターを食べていると――マルセルのスマホが盛《さか》んに音を立て始めた。マルセルはちらっと画面を見て、目を丸くした。

「さっきの動画がバズってるみたいだ。やかましいから消音にしとくよ。」

用意した料理がほとんどなくなって、みんなおなかがいっぱいになったころ。

スマホを手にしたマルセルは青い顔で言ったんだ。

「たいへんだ。バズったどころじゃない。炎上《えんじょう》してる。オレたち、逮捕《たいほ》されるかもしれないらしいぜ……。」

主人公がロブスターを料理する動画は大きな非難《ひなん》を浴びてしまった。ちゃんとした市場で売っている食材なのに、なぜ罪《つみ》に問われるのだろうか。

解説《かいせつ》

スイスは世界で最もきびしい動物保護法《どうぶつほごほう》を設《もう》けている国のひとつ。食用として飼《し》育《いく》される動物でも「不適切《ふてきせつ》に苦痛《くつう》や恐怖《きょうふ》にさらす」ことを禁《きん》じている。たとえば、豚《ぶた》などの哺乳類《ほにゅうるい》でも、意識《いしき》がある状態《じょうたい》でと殺《さつ》するのは違法《いほう》だ。

ではエビはどうなのか。「エビやカニなどの甲殻類《こうかくるい》は高度な神経系《しんけいけい》を持っており、生きたままゆでられると激《はげ》しい痛《いた》みを感じる」と科学者が発表したのは近年のこと。これを受けてスイスでは動物保護法《どうぶつほごほう》を改正し、「生きたロブスターを熱湯に放りこむ調理法」を禁止《きんし》。調理前に電気ショックなどの方法で気絶《きぜつ》させることが義務《ぎむ》づけられた。マルセルはあわてて動画を消したが、大騒《おおさわ》ぎになって身元もバレていたので、主人公は罰金《ばっきん》を払《はら》うことに。「残酷《ざんこく》な動画を公衆《こうしゅう》にさらした」ことでマルセルも厳重《げんじゅう》注意を受けたのである。

日本伝統《でんとう》の魚の活《い》け造《づく》りも、海外では批判《ひはん》されることがある。伝統《でんとう》文化に対する感覚の食いちがいをどうするかは、大きな課題である。

06

最後の頼《たの》み

失敗↓なぜ？


「ボスがおまえに会いたがってるぞ。これが最後と思って見舞《みま》いに行ってやれ。」

昔の同僚《どうりょう》である《ネズミ》が電話でこう言ってきたときにはとまどった。

ボスというのは、かつてオレが在籍《ざいせき》していた密輸組織《みつゆそしき》の親分だ。若《わか》いころから親代わりと言っていいくらい世話になっていたことは確《たし》かだ。

だが、オレは組織《そしき》をぬけた。正確《せいかく》に言えば仕事に嫌気《いやけ》がさして、ある日突然逃《とつぜんに》げたのだ。

ヤバい仕事の内幕《うちまく》を知っているだけに、見つかって連れもどされるんじゃないかとビクビクしていたが、日本各地を転々《てんてん》としているうちに何事もなく10年がすぎていた。《ネズミ》とは1年くらい前にバッタリ出くわして――昔、仲がよかったこともあり、連絡先《れんらくさき》を交換《こうかん》していたのだ。

いきなり姿《すがた》を消したオレを、ボスはどう思っているだろうか。

会うのは気まずいけれど、ボスは重病で余命《よめい》いくばくもないという。

《ネズミ》いわく、オレがもし会いに行くつもりがあるなら、その日はあらかじめだれも来ないようにしておくとのことだった。

「わかった、行くよ。」

オレは《ネズミ》に、病院を訪《たず》ねる日時を伝えて電話を切った。

「よく来てくれたな。」

10年ぶりに会うボスはすっかりやつれていて、オレは言葉に詰《つ》まってしまった。

「その……ずいぶん不義理《ふぎり》をしてしまって……。」

ボスはオレを責《せ》めることもせず、やさしい言葉をかけてくれた。

「いいんだ。あとから考えると、おまえには危《あぶ》ない橋をわたらせてしまったからな。逃《に》げだされたのもしかたがないと思っている。」

オレは、ボスの目をじっと見た。

そう……あのとき、オレは自分の身を守るために逃《に》げたのだ。

ある密輸《みつゆ》の仕事が表ざたになり、警察《けいさつ》が周囲《しゅうい》をかぎまわり始めていた。オレはその一件《けん》には関わっていなかったのだが、密約書《みつやくしょ》には本当の担当者《たんとうしゃ》の名前ではなく、オレの名前が書かれているのを知ってしまったんだ。

つまり、組織《そしき》で一番の下っぱだったオレがすべての罪《つみ》をかぶらされそうになっているると気づいて、オレは逃《に》げだしたのである。

「いえ、長年お世話になったのに申し訳《わけ》ありませんでした。」

オレはその件《けん》にはふれないように、慎重《しんちょう》に言葉を選んで言った。

「まあ、元気そうで何よりだ。今はどうしているんだ？」

病の床《とこ》にあるといっても、ボスのまなざしは相変わらず鋭《するど》かった。

適当《てきとう》にごまかそうと思ったのだが、この人の前ではウソをついても見透《みす》かされそうだ。

そんな気がして、オレは犯罪組織《はんざいそしき》の使い走りのような仕事をしていることをポツポツとしゃべっていた。

というか、ボスはそのことを知っていてオレを呼《よ》んだのかもしれない。

ふと見るとボスが目をとじていたので眠《ねむ》ってしまったのかと思い、立ち上がりかけると。

ボスは静かだが、力のこもった口調で言ったのだ。

「おまえに頼《たの》みがある。この老人をあわれと思って助けてもらえないだろうか。」

ボスの頼《たの》みとは、短時間で死に至《いた》る毒薬《どくやく》を調達することだった。余命《よめい》が短いのはわかりきっていて、ボスとしてはもう長く苦しみたくないと言うのだ。

オレは数日後にボスに毒薬《どくやく》を届《とど》けた。ボスが用意した札束は受け取らず――「お世話になりました」とだけ言って、そそくさと病室を出た。

《ネズミ》から電話がかかってきて「ボスが毒《どく》をのんで自殺《じさつ》した」と知らされたの

は1週間後だ。

いつ知らせが来るかとソワソワしていたのでホッとしたというとおかしいが――ボスは、自分で決断《けつだん》したのだ。葬儀《そうぎ》には参列できないので「どうか安らかにお眠《ねむ》りください」と手を合わせ、心からの祈《いの》りをささげた。

オレはボスのことを思い、最後の願いをかなえる手助けをしたのだ。

だから、しばらくしてオレが毒薬《どくやく》を届《とど》けたことを知った《ネズミ》に「この人殺《ひとごろ》しめ。早く警察《けいさつ》につかまっちまえ」と、ののしられたのは納得《なっとく》がいかない。

ボスは自殺《じさつ》した。なのになぜ、そんなふうに言われなければならないのか……。


主人公はボスに頼《たの》まれて毒薬《どくやく》を調達しただけである。主人公は有罪《ゆうざい》か、それとも無罪《むざい》か。

解《かい》説《せつ》

ボスに毒薬《どくやく》を届《とど》けたことが明るみになり、主人公は懲役刑《ちょうえきけい》を受けた。ボスがみずから毒薬《どくやく》をのんで自殺《じさつ》をしたのは確《たし》かでも、実行を助ける「毒薬《どくやく》の調達」を行なった主人公は「自殺幇助《じさつほうじょ》」の罪《つみ》となる。「幇助《ほうじょ》」とは「助ける」という意味だ。自殺《じさつ》の具体的な方法を人に教えた結果、その人が自殺《じさつ》を行なって亡《な》くなった場合も自殺《じさつ》を「助けた」ことになる。

ちなみに「自殺《じさつ》したいが、実行する勇気がないから殺《ころ》してくれ」と頼《たの》まれて、その相手を殺《ころ》した場合は「殺人罪《さつじんざい》」が成立する。

07

なかったことに

失敗→なぜ？


時効《じこう》まであと1日。1日たてば、あたしの罪《つみ》はなかったことになる。

15年もの間、よくつかまらなかったものだと思う。

15年前、あたしは殺人《さつじん》を犯《おか》した。恋人《こいびと》と口論《こうろん》になり、頭に血がのぼったあたしは台所から包丁を持ち出していた。そして衝動的《しょうどうてき》に彼《かれ》を刺《さ》すとおそろしくなって、玄《げん》関《かん》に置いてあったバッグをつかみ、着の身着のままで飛び出した。

その晩《ばん》はカラオケ屋で過《す》ごし、翌日《よくじつ》、電器屋さんのテレビでニュースを見て、自分が殺人犯《さつじんはん》になったと知ったのだ。

深く考えもせず、あたしはできるだけ遠くに逃《に》げることにした。その途中《とちゅう》で買った一冊《さつ》の本が、あたしの心を決めた。それは30年前に殺人《さつじん》を犯《おか》し、整形を繰《く》り返して日本各地を転々《てんてん》としながら逃《に》げ続けたF《エフ》という女性《じょせい》の告白《こくはく》手記だ。ここには14年と11か月の逃亡《とうぼう》生活の様子がくわしく書かれていた。結局は時効《じこう》ギリギリでつかまって、この本を獄中《ごくちゅう》で書いたわけなんだけど——。

偽名《ぎめい》を使うこと、身元を深く調べずにやとってくれる仕事があることなど、あたしはこの本から多くのことを学んだ。遠くの町に流れついて、まず寮《りょう》のある勤《つと》め先を探《さが》したのもF《エフ》のマネだ。息をひそめるように暮《く》らし、ときどき居場所《いばしょ》を変えて——15年間、できるだけ新聞もテレビも見ないようにしていた。自分のことが報道《ほうどう》されているのを見たくなかったから。

自首することがまったく頭に浮《う》かばなかったわけではないけど。殺人犯《さつじんはん》になってしまった以上、もう人生はメチャクチャだ。親にも友人にも合わせる顔がない。それなら15年間逃《に》げのびることに賭《か》けてみようと思ったんだ。

時効《じこう》を迎《むか》えた日、あたしは一人で祝杯《しゅくはい》をあげた。

これで、もう逃《に》げ続ける必要はなくなったんだ。たとえ、まだどこかにあたしの指名手配書がはられていたとしても――あたしが逮捕《たいほ》されることはない！

ところが2か月後。

あたしはつかまってしまったんだ。

こんなことなら15年も苦労して逃《に》げ回らずに自首すればよかった。もし、本気で逃《に》げ切ろうと思うなら、今の世の中をよく知らないといけなかったね。

主人公はなぜつかまってしまったのだろうか。

解説《かいせつ》

主人公は30年前に殺人《さつじん》を犯《おか》した人の本の知識《ちしき》をうのみにして「時効《じこう》は15年」と思いこんでいた。ニュースにふれることもなかったので、現在《げんざい》では殺人罪《さつじんざい》の「時効《じこう》」が廃止《はいし》になっていたのを知らなかったのが大失敗。それで、逮捕《たいほ》されてしまったわけである。

殺人罪《さつじんざい》の時効《じこう》はかっては「15年間」で、2005年には「25年間」に延長《えんちょう》された。そして、2010年には殺人罪《さつじんざい》の時効《じこう》そのものが廃止《はいし》されたのだ。犯罪被害者《はんざいひがいしゃ》や遺族《いぞく》から「人の命をうばったのに、一定期間逃《に》げ切れば罪《つみ》をまぬがれるのはおかしい」という声が上がっていたことも追い風になったという。

このように、法律《ほうりつ》は時代背景《はいけい》などによって変化し続けるものなのだ。

ちなみにどんな犯罪《はんざい》を起こした場合でも、自首（自分から警察《けいさつ》に出頭すること）した場合は、やや刑罰《けいばつ》が軽くなる可能性《かのうせい》がある。自分の過《あやま》ちを認《みと》め、罪《つみ》をつぐなう気持ちがあるとみなされるためだ。

08 自首した男

失敗↓なぜ？

「借金がかさんでしまい、取り立てもきびしくなっていたので……いや、本当にとんでもないことをしてしまいました。社長の家から逃《に》げ出すと、急に自分のしたことがおそろしくなったんです。」

警察官《けいさつかん》の前で、一つひとつ言葉を選びながら話す。

オレが、勤《つと》め先の会社《かいしゃ》の社長宅《しゃちょうたく》にしのびこんだのはついさっきのことだ。

だいたい社長が、あんなことを軽はずみに話すのも悪い。

「ある程度《ていど》の現金《げんきん》は、家に置いといた方がいいと思うんだよ。災害《さいがい》でもあったとき、銀行やATM《エーティーエム》が使えないと困《こま》るだろ？　だからオレは３０００万円をトランクに入れて寝室《しんしつ》に置いてるんだ。３０００万で３キロだからね。たいした重さじゃないよ。万が一火事になっても、サッと持って逃《に》げられる重ささ。」

なんてね。社長はこの話を気に入ってるみたいで、しょっちゅう聞かされる。

そのうちに、オレは社長の家や寝室《しんしつ》をすっかりイメージできるようになっていた。

寝室《しんしつ》は2階。庭に面した東側に大きな窓《まど》があり、窓際《まどぎわ》には大きな桜《さくら》の木が生えていること。札束を詰《つ》めたトランクケースは、社長のベッドの下に隠《かく》してあること。

オレは、いつかそれを決行しようと考えるようになっていた。

そして、チャンスは訪《おとず》れた。

その晩《ばん》、オレは社長と夕食をともにしていた。

社長の家族は泊《と》まりがけで奥《おく》さんの郷里《きょうり》に出かけているという。

今晩《こんばん》、社長は家に一人きりということだ。

夜9時ごろ、タクシーが社長の家に近づいたところを見計らって、オレはカバンから「ぐっすりリラックス」と書かれたボトル飲料を2本取り出した。

「社長、これ飲んだことあります？　睡眠《すいみん》の質《しつ》が高まって、朝スッキリ目覚めるそうなんです。今、話題になっていてどこの店でも売り切れなんですよ。」

オレはボトルのキャップをカチッと鳴らして開ける。そして、さっき開封《かいふう》して強力な睡眠薬《すいみんやく》をしこんでおいた方を社長に差し出す。

「ありがとう、いただくよ。」

オレが「ぐっすりリラックス」をあおると、社長もそれを飲み干《ほ》した。

「おやすみなさい。」

オレはボトルを受け取り、実行を決意したんだ。

深夜。さくを上って庭に侵入《しんにゅう》し、桜《さくら》の木にはしごをかける。窓《まど》のガラスを切って寝室《しんしつ》にしのびこむと、社長はぐっすり眠《ねむ》りこんでいた。ベッドの下からトランクケースを引っぱりだし、小脇《こわき》にかかえてはしごを降《お》りる。

ここまでは、すべてうまくいっていた。だが、正面に面した道に人かげが見えたので、裏口《うらぐち》に回ったのが運のツキだった。

裏門《うらもん》を開けようとした瞬間《しゅんかん》、防犯用《ぼうはんよう》のライトが点灯し――ハッと見上げると、2階のベランダに設置《せっち》された防犯《ぼうはん》カメラがこっちを向いているのに気づいたのである。

トランクをかかえて車を停《と》めてある場所まで走る間に、オレは結論《けつろん》を出していた。オレの姿《すがた》はばっちり防犯《ぼうはん》カメラに映《うつ》ってしまった。どうせバレるなら、今すぐ自首しよう。自首すれば、多少罪《つみ》は軽くなるのだから。

警察官《けいさつかん》は調書をながめながら聞いてきた。

「でも、いくら夜中とはいえ、社長さんが目を覚ます可能性《かのうせい》があるとは思わなかったんですか?」

この質問《しつもん》の意図は――社長が目を覚ました場合、「オレが社長を攻撃《こうげき》する用意をしていなかったか?」ってことなんだろうな。

「とんでもない。どろぼうは犯罪《はんざい》ですが、社長に暴力《ぼうりょく》をふるうようなことだけは絶《ぜっ》対《たい》にしないと決めていました。だから、社長が目を覚まさないように、あらかじめ睡眠薬《すいみんやく》をのませて眠《ねむ》らせておいたんです。」
オレは少々《しょうしょう》正直にしゃべりすぎてしまったらしい。
自首によって処罰《しょばつ》が軽くなるどころか、結果、想像《そうぞう》していたよりも重い罪《つみ》を科《か》さ
れることになったのだから。

主人公の罪状《ざいじょう》は、窃盗《せっとう》（盗《ぬす》みを働くこと。どろぼう）ではすまなくなった。さらに重い罪《つみ》と判断《はんだん》されたのはなぜだろうか。

解説《かいせつ》

主人公の罪《つみ》が「窃盗《せっとう》（どろぼう）」ではなく、「強盗《ごうとう》」と判断《はんだん》されたためだ。窃盗《せっとう》よりも強盗《ごうとう》の方が、より罪《つみ》が重い。そのちがいはどこにあるのだろうか。

人の金品を盗《ぬす》む行為《こうい》は「窃盗《せっとう》」に当たる。万引きも窃盗《せっとう》だ。一方、盗《ぬす》みを働くときに相手に暴行《ぼうこう》を加えたり、刃物《はもの》をつきつけて脅《おど》した場合、「強盗《ごうとう》」罪《ざい》となる。

主人公は、「暴力《ぼうりょく》をふるいたくないからあらかじめ社長を眠《ねむ》らせた」と説明したが、だまして睡眠薬《すいみんやく》をのませることも「暴行《ぼうこう》」に当たるのだ。盗《ぬす》む目的があった上で、人にお酒をたくさん飲ませて酔《よ》いつぶれさせた場合も同様だ。

主人公は、言わなくていいことを言ったと後悔《こうかい》した。だが、だまっていて後でバレるよりはマシだったかもしれない。

09

プレゼント詐欺《さぎ》→対処《たいしょ》？

フィットネスバイクって、ずいぶんたくさん種類があるんだなぁ。

もうすぐ社会人になって初めてのボーナスが出るから両親に何かプレゼントしようと思ってさ。リクエストを聞いたら「自転車型《じてんしゃがた》の運動器具が欲《ほ》しい」って。そういえば最近、2人が通ってたジムが閉店《へいてん》しちゃったんだよな。「何年も使うことを考えたら、ジムの会員費《かいいんひ》を払《はら》い続けるより買った方がお得《とく》じゃないかと思うのよ」っていう母さんの言い分にもうなずけたしね。

ネットで調べてみると、安いのは1万円台から、上は20万円近いものまである。ペダルをこぐときに振動《しんどう》が少ないとか、ペダルの負荷の調節が10段階《だんかい》だとか、折りたたみできてジャマにならないとか――売り文句《もんく》はさまざまだ。かんたんには選べそうにない。

いろんなメーカーのを見比《みくら》べて、ゆっくり決めようと思ったんだけど。

たまたま見てたサイトに「アンケートにお答えの方に当社のカタログを郵送《ゆうそう》します」って書いてあってさ。軽い気持ちで住所や電話番号を書きこんだのが、トラブルのもとになるとはね。


その日、仕事が終わって帰ろうとしたとき。

珍《めずら》しくスマホに母さんからメッセージが入っててさ。

「さっき届《とど》いたよ！　さっそく使ってみた。ありがとうね♪♪♪」

首をかしげてると、写真が送られてきて――ビックリしたのなんの。母さんがフィットネスバイクにまたがってピースサインしてたんだから。

急いで家に帰ってみると。そのフィットネスバイクはアンケートに答えたメーカーから届《とど》いたとわかった。母さんたちはてっきりオレが買ったものと思って、大《おお》喜《よろこ》びで開けてしまったわけだが、オレは注文した覚えはない。

梱包材《こんぽうざい》の中から説明書にまぎれて、「15万9000円」と書かれた振込票《ふりこみひょう》が出てきた。そして、同封《どうふう》の文書には「振込票《ふりこみひょう》で支払《しはら》うように」「もし購入《こうにゅう》しない場合は1週間以内に返送せよ。返送しない場合は購入《こうにゅう》したことになる」とあったのだ。

オレは頭をかかえた。そういえばクーリング・オフっていう制度《せいど》があったよな。確《たし》か、一方的に売りつけられた場合、解約《かいやく》できてお金を返してもらえるっていう。

いや、待てよ。返してもらうも何も、まだお金を払《はら》ってないんだ。でも、もう開けて使っちゃったし……予算オーバーだけどこのまま買い取るしかないのか!?


注文していないのにフィットネスバイクが送りつけられてきた。送り返したいが、使ってしまったので、このまま買い取るしかないのだろうか。

解説《かいせつ》

詐欺《さぎ》商法なので、買い取る義務《ぎむ》はない。「買います」という意思表示《ひょうじ》をしないかぎり、売買契約《けいやく》は成立しないのだ。契約《けいやく》が成立していないのに一方的に送られてきた物は、送り返す義務《ぎむ》もない。「1週間以内に返送しなければ購入《こうにゅう》したことになる」という文書も無効《むこう》である。このような場合は「購入《こうにゅう》しないので、すぐに取りに来るように」と連絡《れんらく》すべし。あるいは連絡《れんらく》せずに捨《す》ててもよい。判断《はんだん》に困《こま》ったら消費者《しょうひしゃ》生活センターに相談しよう。

主人公がメーカーに連絡《れんらく》して買う意思がないことをはっきり伝えたところ、メーカーの人がやって来た。予想通り「開封《かいふう》して使ったので中古品になった。買い取ってくれ」と言われたが、買い取ったり、一部の賠償金《ばいしょうきん》さえ支払《しはら》う必要はない。「買い取らなければ訴《うった》える」などとおどし文句《もんく》を言われても「払《はら》わない」「引き取ってください」でOK《オーケー》。居座《いすわ》られて困《こま》ったときは警察《けいさつ》を呼《よ》ぼう。

10

運命の出会い

詐欺《さぎ》→有罪《ゆうざい》？

恋愛感情《れんあいかんじょう》というのはいつ生まれるか予測《よそく》のつかない、やっかいなものだ。まさかお客を好きになるなんて……。

オレの仕事は化粧品《けしょうひん》の販売《はんばい》だ。

「芸能人《げいのうじん》が愛用する化粧品《けしょうひん》を買えるサロンがある」と言って女性《じょせい》を誘《さそ》い、高額《こうがく》な化《け》粧品《しょうひん》をセットで売りつける。「1週間で肌《はだ》が白くなる」「あの人気モデルも使ってる」などとウソをまくし立ててその気にさせるのだ。

オレがN《エヌ》子《こ》に出会ったのは婚活《こんかつ》パーティーだ。最近はこういうパーティーに参加して獲物《えもの》を探《さが》すことが多くなっていた。相手も結婚《けっこん》相手を探《さが》しに来てるから、手っ取り早く連絡先《れんらくさき》を交換《こうかん》してくれる。化粧品《けしょうひん》を買わせたら、後はサヨウナラだ。

しかし、N子《エヌこ》に30万円もするセットを買わせた今――マヌケなことにオレは、彼女《かのじょ》を好きになってしまっているのに気づいたんだ。

まだ知り合って2週間くらいだが、つきあった長さなんて関係ない。彼女《かのじょ》と結婚《けっこん》して一生をともにしたい。この気持ちにもっと早く気づいていれば……。

N子《エヌこ》から「話があるからいつものカフェに来て」と呼《よ》び出されたのは次の日だ。オレは化粧品《けしょうひん》のことで文句《もんく》を言われるんじゃないかと内心ビクビクしながら出かけていった。だが、話というのは思いがけないことだった。

婚活《こんかつ》パーティーに来ているくらいだから、N子《エヌこ》がほかの男ともデートをしているのはわかっていたけど彼女《かのじょ》はオレを選んだ。N子《エヌこ》は「つきあった長さなんて関係ない。あなたと結婚《けっこん》したい」と言ってくれたのだ。オレは感激《かんげき》していた。

「ぼくも同じ気持ちだ。結婚《けっこん》しよう！」

「本当に⁉　ほかの女の子にもそんなことを言ってるんじゃない？」

今まで気づかなかったけど、カフェの向かいはジュエリーショップじゃないか。オレは愛を証明《しょうめい》するべく、N子《エヌこ》にダイヤの婚約指輪《こんやく》をプレゼントした。彼女《かのじょ》が気に入ったのは100万円とちょっと高かったが、ケチってる場合じゃない。

しかし、オレの幸せは9日しかもたなかった。突然《とつぜん》、N子《エヌこ》と連絡《れんらく》が取れなくなったんだ。もしやと思って調べると、彼女《かのじょ》は化粧品《けしょうひん》をクーリング・オフ（売買契約《けいやく》を解除《かいじょ》し、返金を求めること）していた。

オレはやっとすべてを理解《りかい》していた。

つまり……彼女《かのじょ》の方が一枚上手《いちまいうわて》だったということだ。

主人公とN子《エヌこ》、2人の間に何があったのか。N子《エヌこ》はなぜ、化粧《けしょう》品《ひん》をクーリング・オフして姿《すがた》を消したのだろうか。

解説《かいせつ》

「ウソの効能《こうのう》」を述《の》べて化粧品《けしょうひん》を売ることは法律違反《ほうりついはん》。勧誘《かんゆう》されて高額《こうがく》な商品を買ってしまった場合、後から契約《けいやく》を解除《かいじょ》できるクーリング・オフという制度《せいど》がある。化粧品《けしょうひん》やジュエリーの場合は8日以内。商品の種類や購入《こうにゅう》方法によって期間は異《こと》なる。マルチ商法（商品を売りつけながら、買い手を「売り手」の組織《そしき》に勧誘《かんゆう》する）の場合は20日以内。この期間をすぎてもクーリング・オフできる場合もあるので、困《こま》ったときは消費者《しょうひしゃ》センターに相談しよう。

一方、N子《エヌこ》が使ったのは「デート商法」という手口。相手に気があると見せかけて、高額《こうがく》な商品を買わせるものだ。主人公は、自分も同じような悪質《あくしつ》商法を行なっているのに、彼女《かのじょ》に夢中《むちゅう》になるあまり、うっかり引っかかってしまったわけ。N子《エヌこ》が指輪を買ってもらって9日後に連絡《れんらく》を絶《た》ったのは計算の上。8日以上たっていても交渉《こうしょう》して返金が受けられる場合もあるが、主人公は自分のことを追及《ついきゅう》されては困《こま》るのであきらめた。そして、悪質《あくしつ》商法から足を洗《あら》ったのである。

11

世界で一番きれいな国

失敗→なぜ？

12月だってのにシンガポールは真夏だ！

一年中、夏ってホントなんだなぁ。

空港の外にあるカフェの前で大きく手をふっているのはリーにちがいない。

「アンディ、ようこそシンガポールへ。また会えてうれしいよ！」

リーとの再会《さいかい》は1年ぶり。リーがオレの通うアメリカの大学に短期留学《りゅうがく》に来ていて、仲よくなったんだ。

「オレもさ！　それにしてもだいぶ待たせたかな？　手荷物検査《けんさ》でちょっともめちゃってさ。チューインガムを没収《ぼっしゅう》されたんだ。びっくりしたよ……すごい重罪人《じゅうざいにん》を見るような目つきで見られてさ。」

肩《かた》をすくめて言ったが、リーの目は笑っていない。

「この国ではチューインガムを製造《せいぞう》するのも売るのも禁止《きんし》。持ちこむのもダメなんだ。ガムをはき捨《す》てるヤツがいるからな。だから、ガムをたくさん持ってると密輸《みつゆ》人《にん》の疑《うたが》いをかけられることもあるんだよ。」

「ひえ〜っ。きびしいな。ガムをこっそり持ちこんで食べてたら逮捕《たいほ》されるかな？」

「うーん。逮捕《たいほ》されるかはわからないけど、罰金《ばっきん》はまちがいないな。シンガポールは世界一、環境《かんきょう》を美しく保《たも》つことに力を入れている国っていわれてるんだ。その辺にツバなんかはいたらダメだよ。罰金《ばっきん》取られるからね。」

ふーん、そうなのか……。確《たし》かに街並《まちな》みはすごくきれいだ。都会的な建物と豊《ゆた》かな緑が調和して、街全体がキラキラしてるみたいに見える。

カフェでひと息ついてからぼくらが向かったのはストリートマーケットだ。洋服や雑貨《ざっか》の店、屋台もたくさんある。しかし、リーは一瞬《いっしゅん》たりともオレのそばから離《はな》れない。トイレにもついてきて、個室《こしつ》トイレから出てくると「トイレの水は流してきたよね？」なんて聞いてくる始末だ。

「当たり前じゃないか。」

「いや、念のためね。流さないで出てくると罰金《ばっきん》だからさ。」

オレはすっかりあきれた。まあ、旅先でめんどうなことになっても困《こま》るから、想像力《そうぞうりょく》を働かせてヤバそうなことはすまいと注意してたんだけど。

「え、それ買っちゃったの？」

リーは、オレがかかえているドリアンを指さした。

「レジの横に積んであったからさ……。まさか、売ってるものを買っちゃいけないわけはないだろ？」

「果物の王様」といわれるドリアンはシンガポールの特産品。腐《くさ》ったような強烈《きょうれつ》なにおいをきらう人も多いけど、果肉がとろけるように甘《あま》い。クセになる味なんだ。

「ドリアンはくさいから電車やバスの持ちこみ禁止《きんし》だよ。ホテルもダメだと思う。」

「マジか。じゃ、公園とかで食べるのもダメなんだろうな？」

リーはニヤッと笑った。

「アンディもだんだんわかってきたみたいだね。公園はドリアン禁止《きんし》じゃないけど、ちょっとでもゴミを落としたら罰金《ばっきん》だしね。家で食べようよ。」

ドリアンを持ってるせいで電車にも乗れず、リーを歩かせることになったのは申し訳《わけ》なかった。しかし、リーの家を訪問《ほうもん》するとわかってたら、おみやげを用意してきたのに。しまったなぁ。

リーは「気をつかわなくていいのに」と言ったけど、オレは途中《とちゅう》でバラの花束を買った。これでもふだんは女の子たちに「紳士的《しんしてき》」って言われてるんだ。

リーの家に着いてみるとご両親は留守《るす》だった。リーのお母様に、さっそうと花束をわたしたかったのにな。このままだとしおれちゃうし……。

そのとき、広い庭のすみっこにバケツを見つけた。花束のリボンを解《と》き、バケツを水で満たしてバラをつっこむと、日かげにかくす。これでご婦人《ふじん》が帰ってきたときにイキイキとしたバラを贈呈《ぞうてい》できるってわけだ。

「アンディ、早く来いよ！　ドリアン切ってやったぜ！」

リーに呼《よ》ばれて、オレは家に入っていった。

ドリアンを食べ終わったころ、玄関《げんかん》でベルが鳴った。リーの両親が帰ってきたと思って出ていったら——立っていたのは役所の人で。

その人は、庭に出るとバケツを指さして言ったんだ。

「罰金《ばっきん》をいただきます。」


シンガポールでは、水を張《は》ったバケツを放置すると罰金《ばっきん》を取られる。それはなぜだろうか。

解説《かいせつ》

環境《かんきょう》を美しく保《たも》ち、治安をよくすることに力を入れているシンガポールには数々《かずかず》の罰金制度《ばっきんせいど》がある。

赤道直下のシンガポールは一年を通して暑い国。屋外の水たまりでは蚊《か》が大量発生しやすい。蚊《か》はジカ熱やデング熱、マラリヤなどの病原菌《びょうげんきん》の運び手となる。そこで、バケツに水を入れっぱなしておくことは罰金《ばっきん》の対象《たいしょう》になるのだ。

ふつうの家庭の庭までいちいちチェックされるわけがないと思ったら大まちがい。ぬきうち検査《けんさ》が行われていて、植木鉢《うえきばち》の受け皿に水がたまっているとか、たまたま降《ふ》ったばかりのスコールで水がたまってしまった……なんていうのも見逃《みのが》してもらえない。主人公は結局、罰金《ばっきん》を払《はら》うことになった。

ほかに禁止《きんし》されているのは「公園で鳥にエサをやる」「地下鉄内での飲食」など。あちこちに監視《かんし》カメラが設置《せっち》されているので、後から身元がバレて罰金《ばっきん》を徴収《ちょうしゅう》されることもあるそうだ。

12

虫裁判《さいばん》

虫穴《むしあな》↓有罪《ゆうざい》？

ときは1520年、フランスにて。

サン・ミシェル教会に集まった人々《ひとびと》は席に着き、ミサが始まるのを待っていた。

ほどなく、手に杖《つえ》をたずさえた司教がゆっくりとした歩調で講壇《こうだん》に現《あらわ》れた。

そして、玉座《ぎょくざ》に腰《こし》かけた瞬間《しゅんかん》――たいへんなことが起こったのである。

ドシン！

司教は玉座《ぎょくざ》ごとひっくり返ってしまったのだ。

「司教様！　だいじょうぶですか⁉」

人々《ひとびと》はあわてて講壇《こうだん》の前に詰《つ》めかけたが、司教は起き上がらない。

近寄《ちかよ》って見ると、玉座《ぎょくざ》がこわれている。

みんなが呼《よ》びかけたが、司教は床《ゆか》に倒《たお》れたまま動かなかった。

司教は転んだときに祭壇《さいだん》で頭を強打し、脳《のう》にひどい障害《しょうがい》を負ってしまった。

「回復《かいふく》の見こみはないそうだ。」

「なんということだ……。」

司教を心からしたっていた人々《ひとびと》は、悲しみにくれていた。

「あの玉座《ぎょくざ》はキクイムシに食い荒《あ》らされていたそうだぞ。」

キクイムシとはその名の通り木を食べる、数ミリほどの小さな虫だ。

たくさんのキクイムシが玉座《ぎょくざ》の中にもぐりこんでいても、外から見ただけでは異《い》常《じょう》に気づけるわけもない。

調べてみると、キクイムシは教会の屋根にもひそんでいたとわかった。

「司教様が大けがをしたのはキクイムシのせいだ。」

「神聖《しんせい》なる教会を食い荒《あ》らすなんて、神への冒涜《ぼうとく》だ！」

住民たちは怒《いか》りにふるえ、一致団結《いっちだんけつ》して立ち上がったのだ。

「キクイムシを告訴《こくそ》しよう！」

実はこの時代、ヨーロッパでは動物を被告《ひこく》として訴《うった》える動物裁判《さいばん》が、数多く行われていた。たとえば、子どもを食い殺《ころ》したブタや、穀物《こくもつ》を荒《あ》らしたネズミをはじめ、さまざまな動物が裁判《さいばん》にかけられたのである。

もちろん、動物はしゃべることができない。だからといって、人間が一方的に主《しゅ》張《ちょう》するばかりでは公平な裁判《さいばん》とはいえない。

そこで、法廷《ほうてい》には動物の代理人となる弁護士《べんごし》が立つことになる。

法廷《ほうてい》にやって来た住民たちは、このように訴《うった》えた。

「神に忠実《ちゅうじつ》なわれわれは、神の家である教会を食い荒《あ》らし、司教様にケガを負わせたキクイムシを有罪《ゆうざい》とし、キリスト教から破門《はもん》することを求めます！」

「キクイムシには、神のご加護《かご》を受ける資格《しかく》はない！」

これに対してキクイムシの弁護士《べんごし》は、いたって冷静に答えた。

「しかし、キクイムシが悪いことをしたと言うのは人間の理屈《りくつ》です。キクイムシはただ、彼《かれ》らの主食である木を食べただけだ。彼《かれ》らにも、わたしたち人間と同じように生きる権利《けんり》があるのです。」

「それはそうだ。だから、わたしたちはキクイムシの死刑《しけい》を求めているのではありませんよ。破門《はもん》を求めているんです。」

「キクイムシはキリスト教徒ではありませんから、破門《はもん》することは不可能《ふかのう》です。」

さすがに弁護士《べんごし》の言うことは筋《すじ》が通っているが、住民たちも引き下がらない。大まじめに議論《ぎろん》がたたかわされる。

「ともかくキクイムシのしたことは、われわれの信仰心《しんこうしん》をも踏《ふ》みにじる行為《こうい》です。」

住民の一人がこう発言したとき、弁護士《べんごし》はニヤリと笑った。

「信仰心《しんこうしん》」を盾《たて》に主張《しゅちょう》されることを予想して、この優秀《ゆうしゅう》な弁護士《べんごし》は切り札を用意していたのだ。

「ふむ。そうですか……。あなた方は神の忠実《ちゅうじつ》なしもべであると、そうおっしゃるわけですね。しかし、わたしが調査《ちょうさ》したところ、みなさんはサン・ミシェル教会に払《はら》うべき税金《ぜいきん》をおさめていないことがわかっています。それをどうお考えでしょうか。」

議論《ぎろん》が一段落《ひとだんらく》したところをみはからい、裁判官《さいばんかん》は木づちで机《つくえ》をたたいた。

「判決《はんけつ》を下します！」

一同はかたずをのんで、裁判官《さいばんかん》を見つめた。

この裁判《さいばん》で勝ったのは住民側とキクイムシ側、どちらだろうか。

解説《かいせつ》

裁判官《さいばんかん》が下した判決《はんけつ》は次の通り。①キクイムシには教会から出ていってもらうが、その新しいすみかは住民が用意すること。②住民は教会への税金《ぜいきん》を正しくおさめること。③キクイムシは、もともとキリスト教徒ではないので破門《はもん》にはならない。

住民側の訴《うった》えは通らなかったのでキクイムシが勝ったといえるだろう。

これは事実をもとにした話。中世ヨーロッパでは多くの動物裁判《さいばん》が行われ、その記録も残っている。訴《うった》えられたのは、主なところでは人間が家畜《かちく》としている牛や馬、ヤギなど。それから犬、毛虫、ハエ、イナゴ、カタツムリ、ネズミ、モグラ、ハトなどさまざまだ。有罪《ゆうざい》になれば死刑《しけい》、ムチ打ちの刑《けい》などが科《か》されることもあった。だが、たとえば人間を殺《ころ》したブタの裁判《さいばん》では、「現場《げんば》に数匹《すうひき》いたブタのうち、罰《ばっ》せられるのはどのブタなのか」もしっかり検証《けんしょう》されるなど、かなり真剣《しんけん》に行われていたそうだ。

13

ハナミズキの木の下に

失敗→なぜ？


ハナミズキはアメリカの春の風物詩である。

今まさに満開の白い花をながめながら昼ごはんを食べようと窓《まど》を開けると――何か動物の声がしたので庭に出てみる。

すると、ハナミズキの木の下にビーグル犬の子犬がうずくまっていたのである。

子犬は黒い目をクルクルさせてわたしを見上げた。逃《に》げ出すそぶりもないのは、おなかがすいて弱っているせいかもしれない。

わたしはビーグルを抱《だ》きあげて部屋に連れていく。

子どものころに犬を飼《か》っていたから、世話のしかたはわかっている。

ミルクを出すと、そいつは皿に顔をつっこんだ。

テーブルの上にはちょうど食べようとしていたマカロニがある。マカロニを洗《あら》って塩分を落とし、ツナ缶《かん》を混《ま》ぜたものを出すと、子犬はすごい勢《いきお》いで食べ始めた。

そして、ものの数分で皿を空け、パタンと横になったのだ。

一度にたくさん食べさせすぎただろうか？　ちょっと心配になったが、子犬はスースーと静かな寝息《ねいき》を立てている。だいぶ疲《つか》れていたのだろう。

田舎町《いなかまち》のかたすみに引きこもり、銀細工の職人《しょくにん》として暮《く》らしているわたしのことを、知り合いは「人間ぎらい」と言っているらしい。別に人がきらいなわけではなく——おしゃべりが苦手で、しょっちゅう人と接《せっ》する必要を感じないだけなのだが。

親元をはなれてから10年、ずっと一人で暮《く》らしてきたけれど、わたしにとって犬はちょうどいい同居者《どうきょしゃ》かもしれない。

そう思っていたから、庭で子犬と遊んでいるところに動物愛護団体《あいごだんたい》のボランティアの男が現《あらわ》れて「そのビーグル犬は捜索願《そうさくねがい》が出ている迷子《まいご》の犬だ」と聞かされたときはがっかりした。

彼《かれ》は、わたしの足に体をすり寄《よ》せる子犬に目を細めながら言った。

「元気そうだ。よく世話をされていたんですね。保護《ほご》したのはいつですか?」

「2週間前だね。」

そう言うと——彼《かれ》はひどく困《こま》った顔になったのである。

「犬を大事にしているあなたのような人が罰《ばっ》されるのは心苦しいです……。」

主人公は家に迷《まよ》いこんできた子犬を手厚《てあつ》く保護《ほご》したのに、罰《ばつ》を受けなければならないのだろうか。

解説《かいせつ》

アメリカは動物愛護《あいご》にとても力を入れている国で、ペットを捨《す》てたら動物遺棄罪《いきざい》になる。ペットを捨《す》てるくらいバレなさそうに思えるが、そんなことはない。動物愛護団体《あいごだんたい》やボランティアなどの人々《ひとびと》が動物が虐待《ぎゃくたい》されていないか、捨《す》てられていないかなど日々《ひび》見回りをしているのだ。動物を飼《か》うには届《とど》け出が必要で、犬やネコには体内に、飼《か》い主の情報《じょうほう》を記録した米粒《こめつぶ》ほどのマイクロチップを入れるのが常識《じょうしき》だ。

アメリカの法律《ほうりつ》は動物を拾った側にもきびしい。拾った犬に十分なえさや寝床《ねどこ》を与《あた》えていない場合、動物虐待罪《ぎゃくたいざい》に問われる可能性《かのうせい》がある。また、拾ってから10日以内に報告《ほうこく》しないと動物窃盗罪《せっとうざい》で逮捕《たいほ》されるのだ。

だが、主人公の場合、子犬は首輪をしていなかったため「他人のものを盗《ぬす》もうとした意思はない」と判断《はんだん》され、罰《ばつ》はまぬがれた。そして、ビーグル犬は無事に飼《か》い主の元にもどったのである。

14

デビッドの失業

労働→有罪《ゆうざい》？

1830年代、イギリスのマンチェスターにて。

9歳《さい》の少年、デビッドは糸や布《ぬの》を生産する工場で働いている。一日中、朝から夜おそくまで針《はり》に糸を通し続ける。その作業をひたすらくり返す日々《ひび》だ。

何歳《さい》から働いていたのかは自分でも覚えていない。毎日、疲《つか》れはてて倒《たお》れそうになるまで仕事をする。それでお金をどれだけかせいでいるのかもわからない。デビッドの給料は同じ工場で働く父さんが受け取っているからだ。

だが、デビッドは絶対《ぜったい》に休んではいけないという意識《いしき》は持っていた。

朝、ぼんやりして起き上がれなくても、仕事に行かなければ父さんにブツブツ言われるからだ。

「働かないで飯を食うつもりか？　屋根のある家に住むのだってタダじゃないんだからな。」

父さんと2人暮《ぐ》らしの家も、デビッドにとってはいごこちのいい場所ではない。父さんはお金にちょっとよゆうがあると全部お酒に使ってしまう。

まあ、デビッドのまわりにいるのはそんな大人ばかりなのだが。


そんなある日、デビッドは工場長にクビを言いわたされたのだ。

「おまえは明日から来なくていい。」

デビッドは真っ青になった。

「どうしてですか？」

工場長は横目でデビッドをチラッと見るとめんどうくさそうに言う。

「工場の持ち主のオウエンさんからそう言われたんだ。ともかく、おまえはクビだ。さぁ、仕事をしねえヤツはじゃまだ。早く帰んな。」

デビッドは絶望的《ぜつぼうてき》な気持ちで、のろのろと横丁を歩いた。

(工場をクビになったって言ったら父さんになんて言われるか……。)

デビッドにはもうひとつクビになっては困《こま》る理由があった。

工場長のきげんがいいとき、使い走りのおだちんをもらえることがある。デビッドは小銭《こぜに》を小ビンにため、ベッドの下にかくしていたのだ。

(ちょっとずつでもお金をためたいのに。)


デビッドは、工場の持ち主のオウエンを一度見かけたことがある。オウエンは息子らしい少年を連れていた。

その少年はデビッドと同じくらいの年ごろに見えたが、こざっぱりとした服装《ふくそう》をして、ピカピカの革靴《かわぐつ》をはいていた。

デビッドの服はボロボロな上に1か月以上も着たきりで洗《あら》っていない。靴《くつ》は父さんが拾ってきたブカブカのをはいていたが、くたびれて路上で眠《ねむ》りこんでいたら、その間に盗《ぬす》まれてしまった。

デビッドはこのとき、気づいたのだ。

(オウエンさんの息子は、オウエンさんみたいな大人になるんだろうな。ぼくは大人になっても……父さんみたいになるしかないんだ。)

デビッドはどうにかして、まずしい生活からぬけだしたいと思うようになった。

(そうすれば、月に1日くらいは工場を休めるようになるだろう。)

そんな夢《ゆめ》を抱《いだ》いて、デビッドは貯金《ちょきん》を始めたのだ。

遊ぶ時間もないし、やりたいこともない。何かをしようという気力もないデビッドにとっては、お金をためることが唯一《ゆいいつ》の楽しみになっていた。


デビッドは次の日も工場に出かけた。そして、工場長に頼《たの》みこんでこっそり働かせてもらったが……工場を見回りに来たオウエンに見つかってしまったのだ。

オウエンはデビッドの腕《うで》をつかみ、きびしい目つきで言った。

「なぜここにいるんだ!? 聞き分けのない子だな。きみのような子にはもっとピッタリの場所がある。さあ、来るんだ。」

「いやだ！　いやだ！」

デビッドは恐怖《きょうふ》を感じ、とっさにオウエンの腕《うで》にかみついた。しかし、すぐにとんでもないことをしてしまったと後悔《こうかい》し、必死でさけんだ。

「牢屋《ろうや》に入れないでください。父さんに怒《おこ》られます！　それと、お願いですから仕事をうばわないでください。生きていくためには仕事が必要なんです！」


オウエンがデビッドをクビにしたのはなぜだったのだろうか。これには現代《げんだい》の子どもたちにも関係がある法律《ほうりつ》が関わっている。

解説《かいせつ》

オウエンがデビッドをクビにしたのは、過酷《かこく》な労働から彼《かれ》を救《すく》うためである。さらにこの後、オウエンはデビッドを工場内に設《もう》けた無料の学校に通わせたのだ。

ロバート・オウエンは工場経営者《けいえいしゃ》でありつつ、世界初の「工場法」実現《じつげん》につくしたイギリス人。工場法は、工場で働く労働者、特に子どもや女性《じょせい》を保護《ほご》するために作られた法律《ほうりつ》だ。工場法で「9歳《さい》未満の子どもは労働禁止《きんし》」と決まったのは1833年のこと。子どもを守るだけでなく、その親たちの生活改善《かいぜん》に手を差しのべ、親子の心と体が健康に保《たも》たれるように努めたオウエンの功績《こうせき》は大きい。

その昔、多くの子どもは家業を手伝っていたが、産業が発展《はってん》すると工場へ働きに出るようになる。学校に行くことができたのは豊《ゆた》かな家の子どもだけ。当時は、日本や世界の多くの国も同じ状況《じょうきょう》であった。日本で初めて工場法ができたのは1911（明治44）年。たびたび改正され、現在《げんざい》では「労働基準法《きじゅんほう》」となっている。

15 なんとなくムカつくから

悪口→有罪《ゆうざい》？

あいつとは高校に入学してからなんとなくいっしょのグループになって、よく遊ぶ仲間の中にいたけど。

なんとなくムカつく。なんかウザいんだよ。

すぐウケねらいみたいなこと言ったりさ。それがまたおもしろくねーし。

服とか趣味《しゅみ》がダサいし。ダサいくせにデカいツラしてるし。

そう思ってるのはオレだけじゃなかったんだよな。

オレが、SNS《エスエヌエス》にあいつの悪口を書きこみ始めると、みんなそれを楽しみにするようになったもん。

ちょっと悪口言っただけで「いじめ」とかさわがれるのは知ってるから、それなりに気はつかってるよ。SNS《エスエヌエス》っていっても、少人数の仲間うちが見られるところにしか書きこんでない。つまり、全世界に発信してるわけじゃない。

それに、あいつの名前は一度も出してないんだ。それでもグループの仲間には通じるけどな。もちろんあいつ本人にも。

たとえば「あいつがリュックにつけてた缶《かん》バッヂ、オタク丸出しダサすぎでウケる。ガチャで必死に集めたっぽい？」って書きこんだ翌日《よくじつ》。あいつのリュックからバッジがなくなってたしな。

あいつはオレと目を合わせなくなった。それはそれで、またうっとうしい。そんなある日、オレは最高のネタを手に入れた。あいつと中学が同じだったヤツに聞いたんだけど、あいつ、小学生のときに万引きしたことがあるんだって。当時、有名だったらしい。

「顔が犯罪者《はんざいしゃ》っぽいと思ってたけど。あいつ万引きの前科があるんだってよ」

そう書きこんだ直後、親友が心配そうに言ってきた。

「なあ、書きこみ、消した方がいいんじゃないか？　あいつ、おまえを訴《うった》えるとかなんとか言ってるらしいぜ。」

オレは勝ちほこって笑い飛ばした。

「そんなの想定ずみだよ。あいつの名前を一度も出してないのに訴《うった》えるもクソもないだろ？　それにさっきの『万引き』の話は事実なんだ。デタラメならともかく事実を言って訴《うった》えられるなら、新聞記者は全員有罪《ゆうざい》じゃん？」

主人公のSNS《エスエヌエス》への書きこみは有罪《ゆうざい》か。それとも無罪《むざい》だろうか。

解説《かいせつ》

主人公は有罪《ゆうざい》。名誉毀損罪《めいよきそんざい》、侮辱罪《ぶじょくざい》などに当たる。彼《かれ》はＳＮＳ《エスエヌエス》上の「誹謗《ひぼう》（悪口）、中傷《ちゅうしょう》（根拠《こんきょ》のないことを言って人をおとしめること）」が罪《つみ》になると知っていて注意を払《はら》ったつもりだったが、その認識《にんしき》は甘《あま》すぎだ。

「かぎられた仲間うち」だけに公開されるものであっても特定の人の悪口や、人の心を傷《きず》つける内容《ないよう》はアウト。また、「あいつ」の実名をのせていなくても、みんながだれのことかわかっている状況《じょうきょう》なのでアウト。さらに「万引きの過去《かこ》」が事実だとしても「人をおとしめる」ことは名誉毀損《めいよきそん》なのでアウト。例外的に、政治家《せいじか》の不祥事《ふしょうじ》など世の中に対して「公共性《こうきょうせい》」がある発言だと考えられる場合は、名誉毀損《めいよきそん》にならないこともある。

ネット上の投稿《とうこう》が原因《げんいん》で不登校や自殺《じさつ》に至《いた》るケースも多く、侮辱罪《ぶじょくざい》は厳罰化《げんばつか》が進んでいる。もし誹謗中傷《ひぼうちゅうしょう》を受けた場合は一人で悩《なや》まず、総務省《そうむしょう》の「インターネットの誹謗中傷《ひぼうちゅうしょう》に関する相談窓口《まどぐち》」などを参考に対処《たいしょ》を進めよう。

16

正義《せい》《ぎ》の心

投稿《とうこう》→有罪《ゆうざい》？

ヨシコのわきを、ピンクのワンピースを着た中年の女性《じょせい》が走りぬけていく。その勢《いきお》いに何かただならぬ気配を感じて、商店街の喫茶店《きっさてん》に入ろうとしていたヨシコは思わず足を止めた。すると——その、自分と同じくらいの年と思われる中年の女性《じょせい》は、自転車に乗ったおばあさんにいきなりおそいかかったのだ。

ピンクおばさんは自転車を奪《うば》うと、すばやくまたがる。

「ちょっとあなた！」

ヨシコはピンクおばさんに声をかけながら走り寄《よ》ったが、彼女《かのじょ》は自転車をこぎ出そうとする。

ヨシコは手にしていたスマートフォンを向け、ピンクおばさんの横顔を撮影《さつえい》した。

そして、その写真にこんな文章をつけてSNS《エスエヌエス》に投稿《とうこう》したのである。

「Z《ゼット》県のN《エヌ》駅前でおばあさんをつき飛ばし、自転車を奪《うば》って逃走《とうそう》した犯人《はんにん》です。早く逮捕《たいほ》されるように拡散《かくさん》をお願いします。」

(あ、おばあさんを助けなきゃ。)

しかし、すでにおばあさんの姿《すがた》はない。ケガはなかったのか、だれかがつきそって交番に行ったのか――どうなったのかわからないが、きっと無事だったのだろう。

喫茶店《きっさてん》での待ち合わせの時間をすぎていたので、ヨシコは急いで店に入った。

1時間半後。打ち合わせを終えたヨシコはスマートフォンを手にして驚《おどろ》いた。

投稿《とうこう》への反響《はんきょう》が予想以上だったからだ。

(これで、早くあの女がつかまるといいんだけど。)

しかし、スマートフォンの画面をながめたヨシコは真っ青になった。

こんな返信が寄《よ》せられていたからだ。

「その現場《げんば》を見ていた者ですが、事実は反対です。あなたが『自転車を盗《ぬす》んだ犯《はん》人《にん》』として画像《がぞう》をアップした女性《じょせい》は被害者《ひがいしゃ》なのです。彼女《かのじょ》はおばあさんに自転車を奪《うば》われ、直後に取り返したのです。その女性《じょせい》がすぐ交番に通報《つうほう》し、おばあさんはすでに逮捕《たいほ》されています。あなたの投稿《とうこう》を削除《さくじょ》してください。」

ヨシコは急いで投稿《とうこう》を削除《さくじょ》した。だが、すでに「ヨシコのかんちがいを指摘《してき》する投稿《とうこう》」は多くの人々《ひとびと》に広まっていた。また、ヨシコの投稿《とうこう》のスクリーンショット（画面の記録）を残し、おもしろおかしく攻撃《こうげき》する人も少なくなかったのである。

（最近、こういうヤツって多いんだよな。）

エイジは、「ヨシコ」なる女性《じょせい》の投稿《とうこう》を見ながらため息をついた。

（正義《せいぎ》の味方のつもりかねぇ。自分は何様なんだよ!?）

大学の授業《じゅぎょう》もバイトもなく、ヒマを持てあましていたエイジはヨシコのプロフィールや過去《かこ》の投稿《とうこう》をじっくり読みこんだ。ヨシコとひんぱんに交流している人物や、住んでいる地域《ちいき》の情報《じょうほう》を集めて検索《けんさく》してみると、ヨシコの実名や勤《つと》め先の会《かい》社《しゃ》、住所はかんたんに調べがついた。

「よし、特定完了《かんりょう》！」

そこで、エイジはヨシコの顔写真や、問題の投稿《とうこう》の画像《がぞう》といっしょにこんな文章を投稿《とうこう》したのである。

「炎上中《えんじょうちゅう》のヨシコさんの本名は山形佳子《やまがたよしこ》。市会議員を務《つと》めたこともあったそうで、正義感《せいぎかん》が強い人なんだね。だけど事実確認《かくにん》しないで被害者《ひがいしゃ》を『犯人《はんにん》』扱《あつか》いして顔写真さらすなんてｗｗｗ《ワラワラワラ》。そんなおっちょこちょいおばさんのお顔もさらしとくね。Z《ゼット》県N《エヌ》市新町3―7―54に行けば会えるよ。」

ヨシコの早とちりに怒《いか》りを覚えていた人は、エイジの投稿《とうこう》を拡散《かくさん》した。

「かんちがいじゃすまないですよ。ヨシコさんにはこの件《けん》、じっくり反省してほしい。被害者《ひがいしゃ》なのに犯人扱《はんにんあつか》いされて顔写真を拡散《かくさん》された方はめちゃくちゃ迷惑《めいわく》かけられたんだから、自分も同じ目にあってみればいいと思います。」

こんな内容《ないよう》のメッセージをつけて拡散《かくさん》する人も多かった。

ヨシコはネット上で激《はげ》しく非難《ひなん》され続けた。ヨシコの家を見に来る人もいた。困《こま》りはてたヨシコは、その日の夕方には警察《けいさつ》にかけこむことになったのだ。

ヨシコは謝罪《しゃざい》の言葉をくり返している。エイジは満足げに笑い、「大勝利！」と投稿《とうこう》してからスマートフォンの電源《でんげん》を切った。彼《かれ》の投稿《とうこう》に反応《はんのう》する人は増《ふ》える一方で、少々《しょうしょう》相手をするのにもあきてきたからだ。思いっきり遊んだ充実感《じゅうじつかん》にひたり、エイジは眠《ねむ》りについたのである。


登場人物の中で、罪《つみ》に問われるのはだれだろうか。自転車を盗《ぬす》んだおばあさんはもちろん有罪《ゆうざい》なので、ひとまず除外《じょがい》する。

解《かい》説《せつ》

ヨシコ、エイジの2人とも有罪《ゆうざい》。加えていうと、ヨシコの早とちり投稿《とうこう》や、エイジがヨシコの個人情報《こじんじょうほう》を公開した投稿《とうこう》を「拡散《かくさん》した人たち」も有罪《ゆうざい》だ。

まず、ヨシコがデマ情報《じょうほう》を流したことで、犯人扱《はんにんあつか》いされてしまった女性《じょせい》は身元がすぐにわかり、いわれない非難《ひなん》を受けることになった。ヨシコはその女性《じょせい》の社会的評価《ひょうか》をおとしめた損害賠償金《そんがいばいしょうきん》を払《はら》うことになる。

エイジは、ヨシコの行動を「正義漢《せいぎかん》ぶっている」と感じたが、自分のやったことも同じ。ネット上では「悪いことをした人を許《ゆる》さない」という感情《かんじょう》が暴走《ぼうそう》しやすく、「そういう人はこらしめて当然」のような風潮《ふうちょう》があるが、絶対《ぜったい》にやってはいけない。みんながたたくと、自分も意見していいような気持ちになりがちなのがネットのおそろしさ。拡散《かくさん》するだけでも罪《つみ》になる場合があるので、安易《あんい》に拡散《かくさん》しないこと。そもそも、他人の投稿《とうこう》を「事実」と信じてしまうことが危険《きけん》なのである。

17

女子高生の借金

失敗→なぜ？

「パパ、ママ、話があるんだけど……。」

ここしばらく、ミマは食事ものどを通らない様子だった。「何か悩《なや》みがあるのか？」と水を向けてもはぐらかされていたが、ついに話す気になったようだ。

学校で何かトラブルがあったのかと想像《そうぞう》していたんだが――。

消費者金融《しょうひしゃきんゆう》からお金を借りていると聞いて、驚《おどろ》いたのなんの……。だって、ミマはまだ高校2年生だ。それも100万円という大金だと聞いて腰《こし》がぬけそうになった。

推《お》しのアイドルのコンサートチケットやグッズを仲間と競うように買っているう

ちに、借金が積もり積もっていたらしい。

冷静に説教をすると、ミマは涙《なみだ》を流しながらあやまった。

しかし、それだけのお金を借りているのに気づかなかったわたしたちにも責任《せきにん》がある。アイドルに夢中《むちゅう》になっているのは知っていたが、おこづかいとファストフード店のバイト代でまかなえているのだと思いこんでいた自分も悪い。

ミマは17歳《さい》だ。法律上《ほうりつじょう》、未成年者（18歳《さい》未満）は消費者金融《しょうひしゃきんゆう》で契約《けいやく》ができないはずだ。どうやって契約《けいやく》したのかと聞くと、ミマは涙《なみだ》をぬぐいながら「お姉ちゃんの運転免許証《めんきょしょう》をこっそり借りて持っていった」と言う。そんなことじゃないかと思った。2歳《さい》ちがいとはいえ、姉のユマとミマは双子《ふたご》のようにそっくりなのだ。

「未成年者は判断能力《はんだんのうりょく》に欠けるから、そういう契約《けいやく》を親の同意なしに結んでしまった場合は取り消すことができるんだ。」

そう言うとミマは心からホッとした顔になる。

「お金、使っちゃったのに返さなくていいの？　親が代わりに返すんじゃなくて？」

「そうだ。」

娘《むすめ》を苦しみから救《すく》えたのはいいけれど——本音では「そのお金は返さなくても大《だい》丈夫《じょうぶ》」と、すぐに教えたくない気持ちもあった。

消費者金融《しょうひしゃきんゆう》に行ってお金を借りることを思いついたのはミマ自身で、だれにそそのかされたわけでもないというし。消費者金融《しょうひしゃきんゆう》の人にだまされて借りたわけでもない。自分の意思で借りたんだから、軽く考えてほしくなかったんだ。

だが、結果的には契約《けいやく》を取り消すことはできなかった。世の中、なんとなく金を貸《か》す業者は悪人と思われがちだが、そんなことはない。今回の件《けん》ではわが娘《むすめ》の方が悪意のある人間だったわけだ。

未成年者（18歳《さい》未満）は消費者金融《しょうひしゃきんゆう》にお金を返済《へんさい》する義務《ぎむ》はない。だが、この件《けん》では例外的な条件《じょうけん》に引っかかったようだ。ミマの行動の何が引っかかったのか考えてみてほしい。

解《かい》説《せつ》

未成年者（18歳《さい》未満）は、取引を行う知識《ちしき》や判断能力《はんだんのうりょく》が十分ではないと考えられている。そのため、未成年者が親の同意を得《え》ずに結んだ契約《けいやく》は取り消すことができる。「消費者金融《しょうひしゃきんゆう》でお金を借りる」契約《けいやく》もその一つ。

ただし、この決まりには「その未成年者が、相手を『だました』とされる場合は契約《けいやく》を取り消すことはできない」という例外がある。ミマが、あらかじめ姉の運転免許証《めんきょしょう》を用意して年齢《ねんれい》をごまかしたのは「だました」ことになる。「偽《いつわ》る」ために積極的に行動したためだ。結局、消費者金融《しょうひしゃきんゆう》に１００万円を返済《へんさい》し、ミマは毎月金《きん》額《がく》を決めて両親にお金を返したのである。

ここまで読んで、「未成年者ならお金を返さなくてもだいじょうぶ」と思った人は、大きなかんちがいをしている。「未成年者だから踏《ふ》み倒《たお》せる」と考えた時点で、「契約《けいやく》を取り消す権利《けんり》」はなくなっているからだ。ともかく18歳《さい》以上になっても、よほどの事情《じじょう》がないかぎりはお金を借りたりしないことだ。

18

伝説のライブ

動画↓有罪《ゆうざい》？

「え、マジで⁉」

ぼくはスマホの画面を見ながら、思わず声を出していた。

メッセージが届《とど》いていると思ったら、差し出し人はロックに関する話題を提供《ていきょう》するサイトの管理人。通称《つうしょう》《モグラ》さんだった。

ぼくはモグラさんのサイトの熱心な視聴者《しちょうしゃ》だ。

きっかけは「ヒトデトゥモロウ」っていうバンドだった。

あるときラジオから流れてきたこのバンドの曲を気に入って、ネットで探《さが》したけど音源《おんげん》が見当たらない。ちょっとマイナーなバンドみたいだ。

解散《かいさん》したのは16年前。ぼくが生まれた年だ。

気になって探《さが》し続けているうちに、中古C《シー》D《ディー》を見つけることができた。ほかの曲もやっぱりめちゃめちゃ好みで。オークションサイトなんかも利用して、全部のアルバムを手に入れてしまった。幸い、かなり安い値段《ねだん》で売ってたからね。うれしいような、ちょっと拍子《ひょうし》ぬけするような。

まあ、そんなふうに夢中《むちゅう》になってヒトデトゥモロウの情報《じょうほう》をあさっているうちに、モグラさんのサイトに行き当たったわけ。

モグラさんの、ヒトデトゥモロウのアルバムのレビューを読んで、ぼくは長文の感想コメントを送ったんだ。

そしたらモグラさんからも「若《わか》いのにヒトデが好きなんてめずらしい」とか返事が返ってきたからうれしくなって。それから、たまにやり取りするようになったんだ。

モグラさんからのメッセージを見て、ぼくは興奮《こうふん》していた。

「サイトにヒトデトゥモロウのライブ映像《えいぞう》をアップした」って！　クレームがついて消される可能性《かのうせい》もあるから「早めにダウンロードしておいてください」だって！

それは、10年前に絶版《ぜっぱん》になったヒトデトゥモロウのライブDVD《ディーブイディー》の映像《えいぞう》らしい。一部で伝説といわれているすごいライブだったそうなんだ。前にもインターネットに上がっていたんだけど、販売元《はんばいもと》の会社《かいしゃ》からの要望で消されちゃったという。

これはすぐにダウンロードしとかないと！

ネット上にあるものって、たしかにいつまでもあるわけじゃないもんな。好きだったサイトが急に閉鎖《へいさ》したりするし。

ぼくはモグラさんのサイトにアクセスし、即《そく》、ダウンロードを始めた。

知らない人からメッセージが届《とど》いたのは2週間ほど後。そのライブ映像《えいぞう》を少なくとも20回くらい見たころだろうか。

メッセージの送り主は弁護士《べんごし》と名乗る人物だった。

ぼくがダウンロードした映像《えいぞう》は、法律的《ほうりつてき》にネットにアップすることが許《ゆる》されていないものであり、それをアップした人だけでなくダウンロードした人も罪《つみ》に問われるんだって。

ぼくはふるえ上がった。いや、法律上《ほうりつじょう》まずいらしいのはうっすらわかってたけど、こんな大ごとだったのか⁉

で、弁護士《べんごし》によれば——ぼくみたいな人はたくさんいるので、弁護士《べんごし》が代表してDVD《ディーブィディー》の販売元《はんばいもと》に謝罪《しゃざい》して「裁判《さいばん》ざたにするのはナシ」にするから、和解金《わかいきん》を用意してほしいと。個人《こじん》で訴《うった》えられたら大変な罰金《ばっきん》を取られることになるが、この和解《わかい》金《きん》は違法《いほう》ダウンロードをした全員の頭数で割《わ》るから一人3万円ですむという。

正直、3万円は高校生のぼくにとって安くはない。だけど、個人《こじん》で訴《うった》えられたらやっかいだ。めんどくさそうな手続きを全部この弁護士《べんごし》がやってくれるなら、安いものなのかも。

そう考えて、ぼくはメッセージにあった振込先《ふりこみさき》に3万円を振《ふ》りこんだのだ。

気まずいのでモグラさんにも連絡《れんらく》は取らないまま、しばらくたって。

この一件《けん》は解決《かいけつ》したと思っていたのに――ある日、警察《けいさつ》から連絡《れんらく》が来て、ビックリしてしまった。

あのダウンロードの一件《けん》についてくわしく聞きたいということだ。

あわててモグラさんにメッセージを送ったが――メッセージは「あて先不明」でもどってきてしまったんだ。

違法《いほう》ダウンロードをした主人公は、弁護士《べんごし》と名乗る人に「和解《わかい》金《きん》」を振《ふ》りこんだ。なぜ警察《けいさつ》から連絡《れんらく》が来たのだろうか。

解説《かいせつ》

作者（あるいは著作権《ちょさくけん》管理者）の許可《きょか》なくネットにアップロードされたものはすべて違法《いほう》。アップした人だけでなく、違法《いほう》と知っていてダウンロードした人も罪《つみ》に問われる。音楽や映像《えいぞう》のほか、マンガ、小説、写真、イラスト、コンピュータソフトなどもこれに当たる。かつては個人《こじん》で楽しむ分にはOK《オーケー》とされていたが、現在《げんざい》では「違法《いほう》アップロードされたものを、ダウンロードしただけでも有罪《ゆうざい》」だ。

主人公は、弁護士《べんごし》と名乗る人に和解金《わかいきん》を振《ふ》りこんだが、これは詐欺《さぎ》だった。つまり、この件《けん》では主人公は被害者《ひがいしゃ》。なんと、弁護士《べんごし》（自称《じしょう》）とモグラは裏《うら》で手を組んでいた。モグラがサイトの視聴者《しちょうしゃ》に違法《いほう》ダウンロードをそそのかし、連絡先《れんらくさき》を「弁《べん》護士《ごし》」に教えるというやり方で、長いことかせいでいたのだ。弁護士《べんごし》とモグラは逮《たい》捕《ほ》され、主人公は厳重《げんじゅう》注意を受けるにとどまった。このように罪悪感《ざいあくかん》につけこむ詐《さ》欺《ぎ》も多いので気をつけよう。

19

イメージの問題

名前→変更《へんこう》?

ぼくの名前はちょっと変わってるけど、自分としては気に入っていた。親が言うには、ぼくが生まれたころに総理大臣《そうりだいじん》になった政治家《せいじか》の名前をマネしてつけたんだって。

かなり大規模《だいきぼ》な政治改革《せいじかいかく》をした人で、6年生の社会の教科書にも出てきてさ。あのときはみんなにちょっと冷やかされて、しばらく「総理《そうり》」とか呼《よ》ばれてたっけ。まあ、友だちにも芸能人《げいのうじん》の名前だの、マンガのキャラクターと同じ名前のヤツがいたりしてさ。「からかわれるのがイヤだ」っていうヤツもいるけど。

運がいいことに、ぼくはその政治家《せいじか》の人をカッコいいって思えていたから問題なかったんだ。

だけど、人生何が起こるかわからない。

もちろん、こんなことになるなんて名前をつけたパパとママにも予想できたわけがない。

その朝、テレビのニュースではぼくの名前が連呼《れんこ》されまくっていた。

名前をもらった政治家《せいじか》が、とんでもなく悪質《あくしつ》な汚職事件《おしょくじけん》をやらかしていたことが明るみになったんだ。

報道《ほうどう》は一過性《いっかせい》で終わるようなものではなかった。事件《じけん》は根が深く、毎日のようにその政治家《せいじか》の隠《かく》されていた罪《つみ》が暴《あば》かれていく。

新聞、週刊誌《しゅうかんし》、テレビ、ネットニュース。どこを見ても自分の名前が出ていて、ボロクソにたたかれているのはかなりつらい。

この政治家《せいじか》の評価《ひょうか》がどん底に落ちてしまった今、同じ名前を背負《せお》って生きていくのって、すごく不利なんじゃないか？

この名前のせいで、ぼくの第一印象《いんしょう》が悪くなることだってあるかもしれない。
ぼくは真剣《しんけん》に考えるようになった。
もし、変えられるものなら変えたいと。

一度つけた名前を変えることはできるのだろうか。

戸籍上《こせきじょう》の名前を変えるには、家庭裁判所《さいばんしょ》の許可《きょか》が必要だ。許可《きょか》されやすいのは「名前を変更《へんこう》しないと、社会生活で支障《ししょう》がある」という場合。主人公の場合はこれに当たると判断《はんだん》され、両親と相談して改名することができた。

家庭裁判所《さいばんしょ》に提出《ていしゅつ》される、改名願いの理由で多いものは「奇妙《きみょう》な名前だから」「難《むずか》しすぎて正確《せいかく》に読んでもらえない」「同姓《どうせい》同名が多くて困《こま》っている」など。単に「気に入らない」だけでは許可《きょか》がおりにくいようだが、「精神的《せいしんてき》な苦痛《くつう》を受けている」事情《じじょう》を伝えることができれば、正当な主張《しゅちょう》と認《みと》められやすい。

15歳《さい》以上であれば、改名の手続きは自分でできる。しかし、家族への影響《えいきょう》もあるため、未成年のうちは家族にも相談した方がよいだろう。ちなみに、2回目の改名許可《きょか》を得《え》るのはかなり難《むずか》しいそうなので、改名はくれぐれも慎重《しんちょう》に。

20

危《あぶ》ないポーカー

賭博《とばく》↓有罪《ゆうざい》？

「サクラダくん。きみは、同級生にお金を借りてるのか？」

ミヤノ教授《きょうじゅ》に聞かれてオレはヒヤリとした。ミヤノ教授《きょうじゅ》はさっき、ろうかでオレがあいつに「あの金、そろそろ返せよな」と言われていたのを聞いていたのだろう。

「そうなんです。3万円ほど……。」

ミヤノ教授《きょうじゅ》はメガネの奥《おく》の目を見開いた。

「ふむ。君たち大学生にとっては大金だな。どうしたんだ？　きみは寮生《りょうせい》だったね。生活費《せいかつひ》に困《こま》っているのか？」

「実は……。」

オレはあいつと同じハンドボール部の仲間だ。先月、ゴールデンウィーク期間中に合宿に行ったとき、宿舎《しゅくしゃ》が2人1部屋でオレたちは同室だったんだ。

夜になると、あいつがトランプを出して「ポーカーをやらないか」と誘《さそ》ってきた。トランプのゲームはあまりやったことがなかったけど、おもしろくてすっかりハマってしまったんだ。

2日目の夜、あいつは「金を賭《か》けてやらないか」と言いだした。かんたんに乗っかったオレも悪いんだよな。負けこすうちに「次こそ勝って取り返さないと」と思い、さらに負け続けてしまったんだ。

わけを話すと、ミヤノ教授《きょうじゅ》はあいつを連れてくるように言った。そして、あいつを前に、こんな説明をしたのである。

「君たち2人がしたことは賭博行為《とばくこうい》だ。そうした違法《いほう》な行為《こうい》で生まれた借金は無効《むこう》で、返済《へんさい》する必要がないと法律《ほうりつ》で決まっている。だから、サクラダくんはきみに3万円を返さなくていい。これからはお金を賭《か》けてゲームをしてはダメだよ。」

あいつも納得《なっとく》し、「借金はなかったことにする。今後、賭《か》けはしない」と約束してオレと握手《あくしゅ》をした。

よかった！　久《ひさ》しぶりに霧《きり》が晴れたようにスッキリした気分だ！

オレは、ハッとひらめいた。

賭《か》けによる借金が無効《むこう》になるってことなら――。

「ミヤノ教授《きょうじゅ》。オレの負け分は全部で3万5000円だったんですよ。合宿中にそのうちの5000円を払《はら》ったんだけど、それも返してもらえるんですか？」

賭博《とばく》によってできた借金は返済《へんさい》する必要はないという。では、賭《か》けで負けたお金のうち、すでに払《はら》ってしまった分のお金も返してもらえるのだろうか。

解説《かいせつ》

すでに払《はら》ったお金は返してもらうことはできない。賭博《とばく》という違法《いほう》な行為《こうい》は法律《ほうりつ》上《じょう》、認《みと》められない。だからこそ主人公の借金は「無効《むこう》」で帳消しとなる。とはいえ、主人公も「賭博《とばく》を行った」件《けん》については同罪《どうざい》で、被害者《ひがいしゃ》ではない。その過程《かてい》で払《はら》った5000円については、法律《ほうりつ》によって守られることはないのだ。

どんなに少額《しょうがく》でも、お金を賭《か》けるのは違法《いほう》。個人的《こじんてき》にゲームとしてやっていても、場合によっては賭博罪《とばくざい》で逮捕《たいほ》される可能性《かのうせい》がある。その場合、賭《か》け金をもうけた人だけではなく、賭《か》けに参加した全員が有罪《ゆうざい》だ。文房具《ぶんぼうぐ》やおもちゃなど「モノ」を賭《か》けても、賭博罪《とばくざい》となる場合がある。

「勝負に勝ったらジュースをおごる」など、「一時的に消費《しょうひ》される」飲食物が賭《か》けの対象《たいしょう》になる程度《ていど》なら賭博罪《とばくざい》にはならない。

21

言葉の暴力《ぼうりょく》

暴言《ぼうげん》→有罪《ゆうざい》？

ヨシオが中学の門を出てトボトボ歩いていると、向こうからクラチ先生がやってきた。クラチ先生は、ヨシオが小学校のとき通っていた書道塾《しょどうじゅく》の先生だ。

「やあ、久《ひさ》しぶりだね。元気？」

クラチ先生に声をかけられた瞬間《しゅんかん》――ヨシオは思わず泣きだしていた。

「ゆっくりでいいから、話してごらん。」

クラチ先生の家に着くと、ヨシオは少しずつ事情《じじょう》を話しはじめた。

「ぼく、中学でバスケ部に入ってるんです。ところが、2年になった今年から新しく顧問《こもん》になったZ《ゼット》先生っていうのが最悪なんです。ときどきビンタしたり頭をたたいたりこわい先生だなと思ってはいたけど。あるとき、同級生のアサトが試合のあと、どなられながら何発もなぐられて。ぼく、見ていられなくなって『体罰《たいばつ》はやめてください』って言ったんです。それからぼくがターゲットになったんです。」

「ヨシオくん、体罰《たいばつ》を受けているのかい？」

「Z《ゼット》先生はあれ以来、だれにも暴力《ぼうりょく》をふるうことはありません。その代わり、言葉の暴力《ぼうりょく》がひどいんですよ。たとえば、ぼくが言われたことは……。」

ヨシオはノートを取り出して読み上げた。

「『ヘタクソ！　練習しても進歩がない』『おまえがチームの空気を悪くしてる。やめちまえ！』『2年のくせにそのレベルなんて死んだ方がいいな』『退部《たいぶ》した方がいいって言ったのに来たの？』とか。言われたことは全部日記に書いてあります。」

クラチ先生はあまりのひどさに息をのむ。

「それで、ぼくは親に話して、担任《たんにん》の先生に相談したんです。担任《たんにん》が校長先生に話して、校長先生がZ《ゼット》先生に注意したそうなんですが……。でも、何も変わってないんです。」

クラチ先生は、ヨシオの手をそっとにぎった。

「まず、話してくれてありがとう。きみは悪質《あくしつ》な言葉の暴力《ぼうりょく》を受けている。これはパワーハラスメントに当たると思う。」

「パワハラっていうんですよね？」

「そう。社会的な地位や立場が強いことを利用したいやがらせのことだ。ただ、パワハラの相手を罰《ばっ》するのはなかなか難《むずか》しい。たとえば、ぼくもかつては学校の先生をやっていたから知っているけど——。」

教師《きょうし》の体罰《たいばつ》は、法律《ほうりつ》で禁止《きんし》されている。だが、「指導《しどう》の上で必要な場合はやむを得《え》ない」と解釈《かいしゃく》できる文章なので、体罰《たいばつ》の証拠《しょうこ》があっても必ず先生が罪《つみ》に問われるとはかぎらない。さらに「言葉の暴力《ぼうりょく》」だったり、無視《むし》やイヤな態度《たいど》をとる「パワハラ」が「体罰《たいばつ》」にふくまれるかはあいまいなのだ。

「だからって、そんな人を許《ゆる》してはいけない。いじめと同じで、相手が『冗談《じょうだん》だった』と言おうが、言われた方が傷《きず》ついたなら、それはいじめなんだからね。」

「ぼくはこれからどうしたらいいんでしょうか？　部活に行くのももうつらいし……。やめたくないけど。」

「次は市の教育委員会に相談するべきかな。ただ、どのくらいの処分《しょぶん》になるかはわからない。やっぱり注意程度《ていど》ですんでしまう可能性《かのうせい》はある。残念なことに……体罰《たいばつ》じゃない場合、まだ軽く見られる傾向《けいこう》があるんだ。体罰《たいばつ》を受けてケガをした場合は、わかりやすく傷害罪《しょうがいざい》や暴行罪《ぼうこうざい》で訴《うった》えることがたやすいんだけど。いや、言葉の暴力《ぼうりょく》も侮辱罪《ぶじょくざい》に問うことができるかな……。」

ヨシオはため息をついた。

「本当は部活だけじゃなく学校に行くのも気が重いです。最近、何をしてても気が晴れないし。『パワハラ罪《ざい》』っていうのがあればいいのに。」

クラチ先生は、ヨシオの顔をのぞきこんだ。ヨシオが心に重大なダメージを受けていることはあきらかだ。

「約束するよ。ぼくもヨシオくんの力になる！　きみが笑顔を取りもどすまで。

今、世間ではパワハラの問題が注目されている。職場《しょくば》でのパワハラを防止《ぼうし》するための法律《ほうりつ》が成立したし。学校でのパワハラ防止法《ぼうしほう》や、パワハラ罪《ざい》ができる日は遠くないと思う。」

ヨシオは顔を上げたが、その瞳《ひとみ》の色は弱々《よわよわ》しい。

「でも、それってだいぶ先の話ですよね。」

クラチ先生はヨシオを勇気づけるように笑いかけた。

「いっしょに戦おう。悪いものに立ち向かっていくことが、世の中を動かすんだ。今ある法律《ほうりつ》もそうやってできてきたんだからね。今回の件《けん》は、先生を訴《うった》えることができると思う。きみはひとつ、大きな武器《ぶき》を持っているからね。」

先生を告発《こくはつ》するための、ヨシオの「大きな武器《ぶき》」とは何だろうか。

解《かい》説《せつ》

大きな武器《ぶき》とは、ヨシオのつけた記録のことだ。学校の先生、教育委員会に相談しても問題が解決《かいけつ》しない場合は、法務省《ほうむしょう》の「人権《じんけん》相談」を利用するのがおすすめだ。直接《ちょくせつ》、弁護士《べんごし》に相談してもよい。そのとき「だれが・いつ・どこで・だれに・どんな方法で・何をしたか」の記録があるといい。暴言《ぼうげん》の場合は録音物があればベストだが、メモも証拠《しょうこ》になる。

ヨシオがクラチ先生の助けを得《え》て行動を起こした結果、Z《ゼット》先生は厳重《げんじゅう》注意を受け、停職処分《ていしょくしょぶん》に。ヨシオは再《ふたた》び、学校生活を楽しめるようになったのだ。

世の中には、教師《きょうし》からのパワハラを苦に命を絶《た》った子どもたちもいる。そのような事態《じたい》を受け、親が裁判《さいばん》を起こして勝訴《しょうそ》するケースが多々《たた》ある。だが、そんな痛《いた》ましい事件《じけん》が起こってしまう前に、パワハラはもっと追及《ついきゅう》されなければいけないはずなのだ。昨今はパワハラに対して泣き寝《ね》入《い》りせず、世に訴《うった》えていく人が増《ふ》えている。今後は学校現場《げんば》でもパワハラ防止法《ぼうしほう》が整備《せいび》されていくのではないだろうか。

22

爆破予告《ばくはよこく》

冗談《じょうだん》↓有罪《ゆうざい》？

オレはプールサイドに寝転《ねころ》んで、青い空を見上げた。

中学最後の夏休み。部活を7月いっぱいで引退《いんたい》してヒマになったと思ったのに、8月になったら塾《じゅく》の夏期講習《こうしゅう》が待ち受けていた。

残る10日間で遊んでやるぞ……と思ったものの、ゴロゴロしてたらあっという間に1週間が過《す》ぎていた。

とりあえず部活仲間のタクを誘《さそ》って市民プールに来てみたけど、いまいち盛《も》り上がらない。

「あーあ、おもしろいことないかなぁ。」

起き上がって言うと、横で寝《ね》そべっているタクも体を起こした。

「だよなぁ。なんかめちゃくちゃハデなことやりたいな！」

とはいえ、こづかいは残り少ないから、金のかかる場所に遊びに行くなんてのはムリだ。

すると、タクが目をキラキラさせて言った。

「秘境《ひきょう》を探検《たんけん》して動画をネットにアップするとかはどうだ？　バズったら有名人になれるぜ！」

この近くに秘境《ひきょう》なんてないが、タクの提案《ていあん》の方向性《ほうこうせい》は気に入った。

「そういうのいいよな。なんか、世間をアッと言わせるようなことをやってやろうぜ。」

オレたちは思いつくままに話し合ったけど、実現《じつげん》できそうなアイディアがなかなか出てこない。

「そもそも準備《じゅんび》に手間がかかることはムリだよな。もう始業式まで3日しかないんだし。」

タクはそう言いながら、また寝転《ねころ》がった。

「ってゆーか、オレまだ宿題の作文書いてないんだった。3日後に提出《ていしゅつ》とかマジでキツいわー。」

そのときオレはひらめいたんだ。

「タク、それだよ。夏休みを延長《えんちょう》させられたらよくね!?」

「え、どうやって?」

オレは声をひそめて言った。

「『学校を爆破《ばくは》する』って予告《よこく》を出すんだ。大騒《おおさわ》ぎになるぜ。」

「爆破《ばくは》って……おまえ、爆弾《ばくだん》の作り方なんて知ってんの?」

「そんなわけないだろ。つまり『始業式の日に学校に爆弾《ばくだん》をしかける』って言うだけでいいんだよ。これ、ひょっとしたらうまくいくぜ。」

オレたちはさっそくSNS《エスエヌエス》で「夜明けの爆弾魔《ばくだんま》」という名前のアカウントを作ると、ネット上に「9月1日の午前8時、Z《ゼット》県Z《ゼット》市立第1中学校を爆破《ばくは》します」と投《とう》稿《こう》した。

この文章は瞬《また》く間に拡散《かくさん》され、近所じゅうはこの話題で持ちきりになった。

「すごい注目されてるんだけど……。」

タクは最初はおもしろがっていたが、不安になってきたみたいだ。

「だいじょうぶだって。9月1日になったら、爆弾《ばくだん》なんかなくて、イタズラだったってみんな気づくだろ？」

もし身元がバレたって、本当に爆弾《ばくだん》をしかけたわけじゃないんだから、先生に怒《おこ》られるくらいですむだろう。


ところが、投稿《とうこう》した次の日のことだ。

夕方、部屋でウトウトしていたオレを――いきなり姉ちゃんがたたき起こしたんだ。

「ちょっと、あんた何やったの⁉　今、警察《けいさつ》の人が来てるのよ！　あんた、逮捕《たいほ》されるみたいよ！」

「なんだって⁉」

一瞬《いっしゅん》で目が覚めた。

バレたのか。

それにしても……逮捕《たいほ》って⁉

頭の中をいろいろなことがかけめぐり、気分が悪くなってきた。

もしかして……だれか、本当に悪いヤツがオレの投稿《とうこう》に便乗して学校に爆弾《ばくだん》をしかけたのかも。オレは必死でわめいた。

「オレは逮捕《たいほ》されるようなことしてないよ。犯人《はんにん》はほかにいるんだ！」


主人公は「爆弾《ばくだん》をしかける」という予告《よこく》を流しただけで、実際《じっさい》に爆弾《ばくだん》をしかけたわけではない。それなのに逮捕《たいほ》されることがありうるのだろうか。

ありうる。実際《じっさい》には爆弾《ばくだん》をしかけていなかったとしても、イタズラの犯罪予告《はんざいよこく》も罪《つみ》になる。この場合は「威力《いりょく》を用いて人の業務《ぎょうむ》を妨害《ぼうがい》する」という内容《ないよう》の「威力業務妨害罪《いりょくぎょうむぼうがいざい》」に当たる。主人公たちは軽いノリで爆破予告《ばくはよこく》をしたが、これは十分に他人への脅迫《きょうはく》、嫌《いや》がらせの迷惑行為《めいわくこうい》とみなされるのだ。

投稿《とうこう》が広まったことを受け、警察《けいさつ》は投稿《とうこう》したアカウントの主を調べるとともに中学校を調べた。主人公たちの迷惑行為《めいわくこうい》は、一時的にでも学校を利用する人たちの正常《せいじょう》な活動を妨害《ぼうがい》したことにもなる。

主人公たちは厳重《げんじゅう》注意を受けただけで逮捕《たいほ》されるには至《いた》らなかったが、悪質《あくしつ》な場合は少年であっても逮捕《たいほ》される場合もある。軽い気持ちで世の中を騒《さわ》がせると、冗談《じょうだん》ではすまないと知っておこう。

23

魔《ま》の3分間

賠償《ばいしょう》↓なぜ？

車を運転していたオレは、助手席に置きっぱなしになっていた大きな封筒《ふうとう》に気づいて舌打《したう》ちをした。

何日も前からポストに投函《とうかん》しようと思ってたのにすっかり忘《わす》れていた。

そろそろ書類の提出期限《ていしゅつきげん》がせまっているはずだ。

今日こそ発送しないとなぁと思っていると。

ちょうど50メートルほど先の道ぞいに郵便局《ゆうびんきょく》が見えたのだ。

オレは車をゆっくりと車道の左はしに寄《よ》せて停《と》める。ガードレールをまたぎ、郵《ゆう》便局《びんきょく》の前のポストに封筒《ふうとう》をつっこもうとして手を止めた。

期限《きげん》ギリギリだし、速達にした方がいいかもしれない。

郵便局《ゆうびんきょく》に入り、速達料金を払《はら》って出てきたとき。

オレは目をみはった。

「おい！　何するんだ！」

オレの車に見知らぬ男が乗りこみ、ドアをバタンと閉《し》めて急発進したんだ。

「待て！」とさけんで追いかけようとしたが、もちろん追いつけるわけがない。

オレは車が遠ざかっていくのをぼう然とながめていた。


警察《けいさつ》から「あなたの車が見つかりました」と連絡《れんらく》が来たのは3日後だ。

オレの車を盗《ぬす》んだ犯人《はんにん》の男は、2キロほど先で人をはねる事故《じこ》を起こし、その場から逃走《とうそう》したという。はねられた被害者《ひがいしゃ》はかなりのケガを負ったらしい。

犯人《はんにん》は3日後につかまり、車も見つかったというわけだ。

「災難《さいなん》でしたね。車が盗《ぬす》まれたときの状況《じょうきょう》について、くわしくうかがいたいのですが。」

こっちは運悪く盗《ぬす》まれた側なのに、細かいことを根掘《ねほ》り葉掘《はほ》り聞かれるのでオレは少々《しょうしょう》うんざりした。

郵便《ゆうびん》を出すことを思いついて停車《ていしゃ》してハンドブレーキをかけ、エンジンキーをさしたまま、車のドアをロックせずに車を降《お》りたことをくり返し話した。

「うーん。停車《ていしゃ》するときは短時間でもエンジンを切ってロックしないとダメですよ。」

そんなことわかってるよ――と言いたいのをオレはグッとのみこんだ。そうしてさえいればこんな目にあわなかったんだから。だけど、あんなわずかなスキに車を盗《ぬす》まれるなんてだれが思うだろう？

「車をはなれたのは何分間くらいですか？」

「郵便局《ゆうびんきょく》に入って、ほぼ待たないで速達の受付をしてもらえたので……3分くらいじゃないかと思います。」

さらに警察官《けいさつかん》は「そこに郵便局《ゆうびんきょく》があることを知っていたか」とか、「そのとき犯《はん》人《にん》の顔は見たか」などいろいろ聞いた後に、こう言った。

「あなたの車にはねられたX《エックス》さんなんですが、2〜3週間は入院することになりそうです。その後も通院して治療《ちりょう》を続けることになるので、慰謝料《いしゃりょう》が決定するのは少し後になると思います。」

こいつはなんで「あなたの車にはねられたX《エックス》さん」なんて言い方をするんだろう。はねたのはオレじゃなくて、車どろぼうだ。慰謝料《いしゃりょう》とか、オレに関係ない話をされてもなぁ。

X《エックス》さんはもちろん気の毒《どく》だが。なんだかオレまで、どろぼう側の人間みたいに扱《あつか》われてないか？

車を盗《ぬす》まれたオレだって被害者《ひがいしゃ》なのに。

オレはイライラしてきた。

礼儀《れいぎ》正しい態度《たいど》を保《たも》ってきたけど、言うべきことは言っとかないとな。

オレは精《せい》いっぱい威厳《いげん》のある表情《ひょうじょう》を作った。

「あの……いくら調査中《ちょうさちゅう》とはいってもですねぇ、まるでぼくが慰謝料《いしゃりょう》を払《はら》わなきゃいけない側みたいに——加害者みたいに言われるのは不愉快《ふゆかい》です。」

すると、警察官《けいさつかん》は眉尻《まゆじり》を下げていったのだ。

「気分を害してしまって申し訳《わけ》ありません。たしかにあなたは被害者《ひがいしゃ》です。ですが、X《エックス》さんに慰謝料《いしゃりょう》をある程度《ていど》払《はら》うことになると思います。」

冗談《じょうだん》じゃない。そんな話があるか。オレは憤慨《ふんがい》して帰った。

だが、X《エックス》さんの治療《ちりょう》が終わった数か月後。

オレの元には、慰謝料《いしゃりょう》の請求書《せいきゅうしょ》が送られてきたのだ。


主人公はなぜX《エックス》さんに慰《い》謝料《しゃりょう》を払《はら》わなければならないのだろうか。

解説《かいせつ》

理不尽《りふじん》なようだが、主人公は慰謝料《いしゃりょう》の一部を負担《ふたん》しなければならない。事故《じこ》を起こしたのは、車どろぼうだ。だが、この場合、主人公にも過失《かしつ》が認《みと》められる。どろぼうにかんたんに車を乗り逃《に》げされるような「管理上のミスをおかした」ことが、事故《じこ》の原因《げんいん》になったと判断《はんだん》されたのだ。

事故《じこ》でケガをしたX《エックス》さんの治療費《ちりょうひ》は、車どろぼう（事故《じこ》の加害者）と主人公（車の持ち主）が払《はら》うことになる。

しかし、運の悪いことにこの事件《じけん》では、車どろぼうが十分なお金を持っていなかった。そのため、主人公は多くの慰謝料《いしゃりょう》を負担《ふたん》しなければならなくなってしまった。主人公は車の保険《ほけん》に加入しており、保険会社《ほけんがいしゃ》からは「事故《じこ》を起こした場合、被《ひ》害者《がいしゃ》にはらう賠償金《ばいしょうきん》」が出るが、全額《ぜんがく》ではない。主人公はちょっとした気のゆるみから、たいへんなとばっちりを受けた形になったのだ。

24

大打者の悲《ひ》劇《げき》

容《よう》疑《ぎ》→なぜ？

「おまえ、今から市民球場に来れないか？　負けそうなんだよ。」

草野球チーム・西坂上サンダーバーズのキャプテンから電話がかかってきたのは、スーパーから出てきて買い物袋《ぶくろ》を車に積んでいるときだった。

「そうだな。ちょうど車で出かけてるところだから……ここからまっすぐ行けば15分くらいで着けるけど。」

運よくバットは車に積みっぱなしのままだ。

「助かるぜ！　ユニフォームは予備《よび》があるから、家に取りに帰らないですぐに来てくれ。今日は負けるわけにいかないんだ。待ってるぞ！」

オレは、一般人《いっぱんじん》の救出《きゅうしゅつ》に向かうヒーローの気分で車に乗りこんだ。これでもオレは高校時代、全国的に知られたバッターだったのさ。守備《しゅび》は苦手なんで――草野球に参加するとき、オレはもっぱら「指名打者」。守備《しゅび》にはつかず、バッターボックスに立って打つだけだ。高校卒業後は野球をやめてしまったが、10年たっても腕《うで》はおとろえていない。草野球レベルじゃ敵《てき》なし、驚異《きょうい》の8割《わり》バッターだ。ときどきこうして助っ人に行き、弱小チームを救《すく》っている。

ところが、とちゅうの道で車の検問《けんもん》をやっていて、車を止められてしまった。すぐに解放《かいほう》されると思ったんだけどさ。

「強盗事件《ごうとうじけん》があって犯人《はんにん》が逃走中《とうそうちゅう》なんです。車の中を見せてください」だって。

ちょっと時間がかかりそうだな。

指示《しじ》にしたがって車のトランクを開けると、警察官《けいさつかん》は中を探《さぐ》りはじめた。

そして、「あ！」と声を上げ……オレの愛用の金属《きんぞく》バットを手に取ったんだ。

「なぜバットを持っているのか？」というバカバカしい質問《しつもん》に、オレは「はあ？

野球をやるからに決まってんだろ？　オレはこれから試合に出るんだ」って答えたんだが。

後から考えると、あせってたせいで乱暴《らんぼう》な言い方をしたのもまずかった。

警察官《けいさつかん》は「軽犯罪法違反《けいはんざいほういはん》に当たるので警察署《けいさつしょ》に来てもらう」なんて言い出しやがった。ムカつくことに、強盗事件《ごうとうじけん》に関係があるかも……と疑《うたが》われたらしい。

オレの態度《たいど》も悪かったが、この警察官《けいさつかん》がもうちょっと野球にくわしければ警察《けいさつ》まで連れていかれずにすんだんじゃないかなぁ。


「野球をやるからバットを持っている」という主人公の主張《しゅちょう》に疑《うたが》いを持たれたのはなぜだろうか。

解説《かいせつ》

「正当な理由なく、刃物《はもの》や鉄棒《てつぼう》などを隠《かく》し持つこと」は軽犯罪法違反《けいはんざいほういはん》で、金属《きんぞく》バットもアウトな道具とされている。主人公は、金属《きんぞく》バットをトランクに入れていたせいで「隠《かく》し持っている」とみなされた。主人公はこれから野球をしに行くのだから、持ち歩く「正当な理由」はある――と主張《しゅちょう》したが、警察官《けいさつかん》は野球をよく知らなかったので「バットしか持っていないのはおかしい」と思い、主人公を疑《うたが》ったのだ。グローブも持っていれば、すんなり認《みと》めてもらえていただろう。

結局、疑《うたが》いは晴れたものの、金属《きんぞく》バットを隠《かく》し持っていた時点で軽犯罪法違反《けいはんざいほういはん》なのはまちがいない。主人公は厳重《げんじゅう》注意のみで帰されたが、金属《きんぞく》バットを所持していただけで罰金《ばっきん》を取られるケースもある。金属《きんぞく》バットやナイフ、カッターナイフ、アーミーナイフ、さらにはハサミまでも「凶器《きょうき》になり得《え》るもの」として取り締《し》まりの対象《たいしょう》になる。ケースに入れるなどして扱《あつか》いに気を配り、必要がないときは持ち歩かないことだ。

25

やさしい将軍《しょうぐん》

失敗↓なぜ?

ときは江戸《えど》時代の中ごろ。

武力《ぶりょく》で天下を争う戦国時代が終わり、太平の世となってすでに100年近くがたっていた。だが、戦がなくなったとはいえ、人の習慣《しゅうかん》はすぐに変わるものではない。

いまだに刀を携《たずさ》えた武士《ぶし》は多く、刀によって人の命を奪《うば》う血なまぐさい事件《じけん》は絶《た》えていない。

そのことに、徳川家《とくがわけ》5代将軍《しょうぐん》、徳川綱吉《とくがわつなよし》は心を痛《いた》めていた。

(みなが命を大切にし、人を思いやる世の中にするにはどうすればいいのか。)

綱吉《つなよし》がそうした思いから考え出したのが「生類憐《しょうるいあわれ》みの令《れい》」という法律《ほうりつ》だ。

綱吉《つなよし》はとりわけ犬を大事にしたので「生類憐《しょうるいあわれ》みの令《れい》」といえば「犬を守る法律《ほうりつ》」と誤解《ごかい》されがちだが、彼《かれ》が守ろうとしたのは人間をはじめとするすべての生き物の命である。だから、「生類憐《しょうるいあわれ》みの令《れい》」には「病人や老人をいたわる」「捨《す》て子を禁《きん》ずる」など人間を対象《たいしょう》とした法令もふくまれていた。

「それにしても、犬を捨《す》てるだけでも罪《つみ》になるってのはやりすぎじゃないかね？」

「綱吉《つなよし》様はノラ犬を保護《ほご》するためのバカでかい犬小屋作りに、すげえ予算をかけてるらしいぜ。」

「犬やネコをかわいがるのはまあいいけどよ……。動物を食うのも捕《つか》まえるのも禁止《きんし》だからまいっちまう。鳥や魚もダメだって知ってたか？」

人々《ひとびと》はすっかり閉口《へいこう》していた。

生類憐《しょうるいあわれ》みの令《れい》では犬やネコをはじめとするけもの、鳥、魚のほか、貝や昆虫《こんちゅう》まで保護《ほご》の対象《たいしょう》となった。「生き物すべての命を尊《とうと》ぶ」という姿勢《しせい》は一貫《いっかん》しており、武《ぶ》士《し》の間で流行っていた鷹狩《たかが》りも禁止《きんし》してしまったほどだ。鷹狩《たかが》りとは、訓練した鷹《たか》に、野生の鳥やウサギなどの小動物をとらえさせる遊びである。

綱吉《つなよし》の動物愛護《あいご》の視線《しせん》は、獲物《えもの》になる生き物だけでなく鷹《たか》にも向けられていた。「鷹《たか》を遊びに使うのも動物虐待《ぎゃくたい》だ」という考えを持っていたわけだ。

法令はどんどん増《ふ》えていった。虫の声を楽しむために虫を飼《か》うのも禁止《きんし》。金魚を飼《か》うには、届《とど》け出をして許可《きょか》を得《え》ることが必要になった。動物を見世物にして商売することも禁《きん》じられた。

田畑を荒《あ》らす鳥も殺《ころ》してはダメ。生け捕《ど》りにして、遠くの島に連れていって放さなくてはいけない。

「そんなのいちいち守ってられるかよ。」

「でも、虫だの鳥だの殺《ころ》したところで、バレやしないよな。」

こう思う人たちが多かったのは当然のこと。確《たし》かに取り締《し》まるのはたいへんなので、綱吉《つなよし》はぬかりなく手を打っていた。

『生類憐《しょうるいあわれ》みの令《れい》』に違反《いはん》した者を密告《みっこく》したら賞金《しょうきん》を与《あた》える」というおふれを出したのである。

となると、人間はゲンキンなもので――この法令に文句《もんく》を言っていた人たちも、賞金《しょうきん》ほしさに続々《ぞくぞく》と密告《みっこく》を始めた。

「江戸城《えどじょう》の堀《ほり》で釣《つ》りをしている人がいます！」

「うちの近所の又吉《またよし》が病気の馬を放置してます！」

「そば屋の長介《ちょうすけ》がツバメの巣をたたき落としているのを見ました！」

こんな密告《みっこく》が盛《さか》んになり、生き物を軽んじた「犯人《はんにん》」たちはきびしい罰《ばつ》を受けたのである。


むし暑い日のこと。

ある男が、江戸城《えどじょう》のそばを通りかかると。警備《けいび》をしている武士《ぶし》がしきりに顔にまとわりつく蚊《か》を追い払《はら》っていた。

それでも、蚊《か》はしぶとく武士《ぶし》の顔にとまったが……。

バチン！

武士《ぶし》は、ほおにとまった蚊《か》を一発でしとめた。ほおに血がべっとりついている――その横顔を見たとき、男はニヤリとした。

（やった！　賞金《しょうきん》をもらえるチャンスだ！）

そこで男はいそいそと報告《ほうこく》に上がったのである。

「門番が蚊《か》を殺《ころ》しました。わたしはすぐそばで見ていましたので、まちがいありません。」

しかし、男を見つめる役人のまなざしはやけに険《けわ》しかった。

この後、彼《かれ》は激《はげ》しく後悔《こうかい》したのである。密告《みっこく》などしなければよかったと……。


「生類憐《しょうるいあわれ》みの令《れい》」では、自分を刺《さ》した蚊《か》を殺《ころ》しただけでも罪《つみ》に問われるようだ。だが、これを密告《みっこく》した男も罰《ばつ》を受けた。なぜだろうか。

解説《かいせつ》

蚊《か》をつぶした武士《ぶし》は、島流し（遠くの島に流される）という重い罰《ばつ》を科《か》された。これは虫の命を奪《うば》った罪《つみ》より、血のついた顔をさらしたことをとがめられたといわれている。一方、言いつけた男は「そばで見ていたのに蚊《か》を助けようとしなかった」ために自宅軟禁《じたくなんきん》の処分《しょぶん》を下されたのだ。これは実話を元にした話。

「天下の悪法」と批判《ひはん》された「生類憐《しょうるいあわれ》みの令《れい》」は、１６８５年から綱吉《つなよし》が亡《な》くなる１７０９年まで続いた。魚釣《さかなつ》りをしただけで死刑《しけい》になった人もいたそうで、「命を大事にするための法律《ほうりつ》」としてはいかがなものか？　綱吉《つなよし》亡き後は、こうした極端《きょくたん》な法令は廃止《はいし》され、鷹狩《たかが》りも復活《ふっかつ》。しかし、高齢《こうれい》者や子どもをいたわる法令は残ったというから、「生類憐《しょうるいあわれ》みの令《れい》」のすべてが悪かったともいえないだろう。

「生き物を食べる」「生き物に芸をさせる」ことについては、現代《げんだい》でも賛否両論《さんぴりょうろん》があり、線引きが難《むずか》しい。世界中でも、生活習慣《しゅうかん》や文化のちがいによって、何を常識《じょうしき》とするかは大きく異《こと》なっている。

26

節約の好きな将軍《しょうぐん》

新法↓失敗？

ときは江戸《えど》時代中ごろ。

徳川家《とくがわけ》8代将軍《しょうぐん》となった徳川吉宗《とくがわよしむね》を前に、家臣たちはヒソヒソささやいていた。

「吉宗殿《よしむねどの》は、以前は紀州藩《きしゅうはん》の藩主《はんしゅ》だったそうだな。」

「ああ、まずしい紀州藩《きしゅうはん》を立て直すため、自ら質素倹約《しっそけんやく》を実行していたとは聞いていたが。」

「それにしても殿様《とのさま》があの服装《ふくそう》とは、みすぼらしくないか？」

吉宗《よしむね》の着物は木綿《もめん》の簡素《かんそ》なもの。食事も吉宗《よしむね》の希望により、殿様《との》のものとは思えない質素《しっそ》さだ。このころの日本では「1日3食」が定着してきていたが、吉宗《よしむね》は

「1日2食で十分」とゆずらない。

吉宗《よしむね》の当面の課題は、幕府《ばくふ》の財政難《ざいせいなん》をどうにかすることだった。（まずは節約。城内から、ぜいたくざんまいの暮《く》らしぶりを改めなくてはな。それには将軍《しょうぐん》の自分が手本を見せることだ。そうすれば家臣もぜいたくをやめるだろう。）

さらに吉宗《よしむね》は、積極的に改革《かいかく》に取り組みはじめた。

まずは、「新田開発」の奨励《しょうれい》。新しい田を開くことを進め、米の生産を高める試みをした。

また、吉宗《よしむね》の政策《せいさく》としてよく知られているのは「上米《あげまい》の制《せい》」だ。各地の大名に米を献上《けんじょう》させるもので、江戸幕府《えどばくふ》の権威《けんい》を知らしめるねらいもあった。

米（税《ぜい》）を取り立てる代わりに、大名が参勤《さんきん》交代で江戸《えど》に滞在《たいざい》する期間を1年から半年に短縮《たんしゅく》してやったが――これは大名の負担《ふたん》を軽くしたように見えて、実際《じっさい》は大名たちが江戸《えど》に滞在《たいざい》する間の費用《ひよう》を節約する意味合いがある。

とにもかくにも、江戸幕府《えどばくふ》のふところ具合は相変わらずかんばしくなかった。

(やっぱり収入《しゅうにゅう》を増《ふ》やすのはむずかしいな。それなら、もっと支出《ししゅつ》を減《へ》らさなくてはいけないな。)

吉宗《よしむね》は、庶民《しょみん》たちでにぎわう江戸《えど》の町をながめながらじっくり考えた。

ふと見ると、小さな子どもが父親に何かねだっている。

「このコマ、買ってよう。」

「おまえ、コマなら持ってるじゃないか。」

父親がいさめたが、子どもは店先に座《すわ》りこんでいる。

「うちにあるコマは何も色がついてないけど、このコマを見てよ。真ん中にもようがついてて、回すときれいだよ。」

吉宗《よしむね》はため息をついた。

(まったく節約の精神《せいしん》に欠けているな。みんな、おもちゃだって着物だって十分に持っている。なのに、ちょっと目新しい物が出ると飛びついてムダづかいするから、いつまでたっても金がたまらないんだ。もっと気を引きしめてもらわないとな。庶民《しょみん》によゆうがあればもっとたくさん税《ぜい》を取れて、幕府《ばくふ》もこんなに苦しむことはないのに。)


改革《かいかく》に取り組んでから5年目のある日。

吉宗《よしむね》は、切り札として新しい法律《ほうりつ》を発表したのである。

「新しい法律《ほうりつ》は『新規御法度《しんきごはっと》』だ。」

「吉宗殿《よしむねどの》。それはどのような法律《ほうりつ》なのですか?」

家臣を前に、吉宗《よしむね》は自信ありげに語った。

「ズバリ、新しい工夫や発明の禁止《きんし》だ!」

「え!?」

どよめく家臣たちに、吉宗《よしむね》は説明を始める。

「穀物《こくもつ》、薬、着物、本、身の回りの道具などを新しく作った者は処罰《しょばつ》する。お菓子《かし》やおもちゃもダメだ。これまであった物に工夫や改良を加えたり、色や素材《そざい》を変えたりするのも禁止《きんし》とする。」

どうしても新しい物を作りたい場合は、役所に許可《きょか》を得《え》なければならなかった。発明家は、幕府《ばくふ》に叛逆《はんぎゃく》する者とみなされた。

だが、財政難《ざいせいなん》を解消《かいしょう》するために作られたこの法律《ほうりつ》は、思ったような効果《こうか》を生むことはなかったのである。

この法律《ほうりつ》の問題点はどこにあったのだろうか。

解説《かいせつ》

「新規御法度《しんきごはっと》」のために、それまでは推進《すいしん》していた新田開発もやめてしまうことになり、完全に経済《けいざい》は停滞《ていたい》してしまった。節約するばかりでみんなが買うことをひかえたので、お金が回らなくなったのである。

また、当時発明家として知られた浮田幸吉《うきたこうきち》という職人《しょくにん》は日本で初めてハンググライダーのような翼《つばさ》で飛行することに成功したが、そのために重い罰《ばつ》を受けたといわれる。世の中の進歩をも停滞《ていたい》させた新規御法度《しんきごはっと》は「悪法」として語られることが多い。

吉宗《よしむね》は1716〜1745年にかけて「享保《きょうほう》の改革《かいかく》」という財政《ざいせい》立て直しを主な目的とする政策《せいさく》を行なった。「新田開発」「上米《あげまい》の制《せい》」「新規御法度《しんきごはっと》」もその一環《いっかん》だ。そのほか、庶民《しょみん》が意見を投書できる「目安箱《めやすばこ》」の設置《せっち》、公正な裁判《さいばん》を行うための法典「公事方御定書《くじかたおさだめがき》」を作った功績《こうせき》などは高く評価《ひょうか》されている。

27

ゾンビを逮捕《たいほ》せよ

変装《へんそう》→有罪《ゆうざい》？

「ハッピーハロウィーン！」

オレが現《あらわ》れると、みんなは目をみはった。

「ミヤザキ、やるじゃん！　本物かと思ったぜ。」

「すごいリアル！　ミヤザキくん、体格《たいかく》ゴツいしめちゃ似合《にあ》ってる！」

ははは、オレのコスプレはなかなか好評《こうひょう》だ。

今夜はハロウィーン。この繁華街《はんかがい》は、仮装《かそう》をした人たちが続々《ぞくぞく》と集まってくる有名なスポットだ。お祭り騒《さわ》ぎを楽しもうと、オレは大学の友人たちと待ち合わせをしていた。思い思いのコスプレ姿《すがた》で現地集合《げんちしゅうごう》したオレたちの集団《しゅうだん》は、魔女《まじょ》にパンダ

の着ぐるみ、殿様《とのさま》に古代ローマの戦士《せんし》等々《とうとう》、みごとにバラバラだ。

「ねえ、あれヤバくない？」

水色のスモック姿《すがた》で幼稚園児《ようちえんじ》のコスプレをしているマミが、オレにささやく。

赤ずきんちゃんの衣装《いしょう》を着た女の子が、ゾンビのかっこうをした男3人に取り囲《かこ》まれている。ゾンビたちは「おこづかい、持ってるんでしょ。ちょっと貸《か》してよ」と赤ずきんちゃんに迫《せま》り、強引に肩《かた》を組んでいる。

「これって、出番じゃない？」

マミに言われるまでもなく――オレも同じことを考えていた。

こんな形でヒーローになるチャンスが訪《おとず》れるとはね！

オレは小さいころから正義《せいぎ》の味方が大好きだ。その中でも極めつけの「あこがれ」である警察官《けいさつかん》のコスプレをしてきてよかった！

オレは仲間に背中《せなか》を押《お》され、ひとつせきばらいをすると大またでゾンビたちの方に歩いていった。

「君たち、何をしてるんだ。ハロウィーンだからって羽目《はめ》をはずしすぎちゃダメだよ。近くの署《しょ》でちょっと話を聞かせてもらおうか。」

こう言えばビビって逃《に》げるかと思ったんだが。

「ただデートに誘《さそ》ってるだけじゃん。オレらの自由だろ？」

ゾンビたちはオレをこづいてきてた。なぐられる、と思った瞬間《しゅんかん》。

本物のおまわりさんがかけつけてくれたんだ！

ハッピーエンドと言いたいところだが、誤算《ごさん》がひとつ。オレは、ゾンビたちが恐喝《きょうかつ》していたのを証言《しょうげん》するために交番に同行したつもりだったんで——自分も取り調べの対象《たいしょう》になっていたとは思わなかったんだ。


主人公が女の子を助けようとしたのを、本物のおまわりさんたちは理解《りかい》していた。主人公は何か罪《つみ》に問われるようなことをしたのだろうか。

解説《かいせつ》

警察官《けいさつかん》や自衛官《じえいかん》などの制服《せいふく》に似《に》せた服を着ることは、軽犯罪法《けいはんざいほう》にふれる。よく考えてみればわかること。たとえ趣味《しゅみ》でもそれを放置すれば、警察官《けいさつかん》のフリをした人が、警察官《けいさつかん》の権限《けんげん》をふりかざして悪事を働く可能性《かのうせい》があるかもしれない。

だれが見てもニセモノとわかる衣装《いしょう》なら見とがめられる可能性《かのうせい》は低いが、主人公の場合はかなりリアルな出来だったのがまずかった。主人公は警察官《けいさつかん》のコスプレを利用して、人助けをしようと試みた。よい行いのようだが、一般人《いっぱんじん》が警察官《けいさつかん》を装《よそお》ってはいけないのだ。

厳重《げんじゅう》注意を受けて帰った主人公はすぐにコスプレ衣装《いしょう》を切りきざんで捨《す》て、本物の警察官《けいさつかん》を目指すための勉強を始めたそうである。

28

住《じゅう》宅《たく》街のネコ騒《そう》動《どう》

ネコ↓有《ゆう》罪《ざい》？

鉢《はち》植《う》えに水をやるためにマンションのベランダに出たトモエは、向かいのスズキさんの庭と、そのおとなりのタナカさんの庭を見下ろした。それは、今やすっかり彼女《かのじょ》の習慣《しゅうかん》になっていた。

スズキさんの家の庭では、ネコたちが気持ちよさそうに日向《ひなた》ぼっこしている。茶トラに黒ネコ、ブチもようなど数匹《ひき》ばかりが集まっている。そこへ門の下をくぐってまた1匹《ぴき》、まっすぐにスズキさんの庭のエサ皿に向かっていく。

スズキさんは、この一軒家《いっけんや》に1人で住んでいるおじいさんだ。彼《かれ》はネコたちの飼《か》い主ではないらしい。

「ノラネコたちがかわいそうだから庭にエサを置いているだけ」だし、「エサをやっている人はほかにもいる」というのがスズキさんの言い分だ。

もっとも、トモエはスズキさんと直接《ちょくせつ》話したことはない。

スズキさんがたびたびタナカさんのおばあさんに文句《もんく》を言われ、こう説明しているのを聞いていたのである。

「あ、また……！」

小さな黒ネコが庭のさくをかけのぼり、タナカさんの庭にピョンととびおりる。ブチネコがその後に続く。このネコたちはご飯を食べたあと、タナカさんの庭の花だんで運動するのが大好きなのだ。

そこへ、ちょうどタナカさんが家に帰ってきた。近所の茶飲み友だちの3人のご婦人《ふじん》もいっしょだ。

「あらっ、タナカさん。またあのネコよ！」

お友だちの声に、タナカさんはすばやく反応《はんのう》した。

買い物袋《ぶくろ》を地面に置き、「こらっ！」とどなりながら庭にかけこむと、ネコたちはあっという間にどこかへ消えてしまう。

「ホント、いやになっちゃう。ウンチやおしっこのにおいがとれなくて。スズキさんには困《こま》ったものだわ」

タナカさんが言うと、髪《かみ》を紫《むらさき》に染《そ》めたご婦人《ふじん》が腕組《うでぐ》みをしてうなずく。

「あなた、言い方がやさしすぎるのよ。あきらめちゃダメ！　今すぐあのガンコじじいをつるしあげてやるのよ。うちもネコの被害《ひがい》には困《こま》ってますからね。」

4人がかりで詰《つ》め寄《よ》っても、スズキさんはまるで動じない。

「さっき見かけたのはまだ子ネコだったわよ。お宅《たく》でエサをやってるおかげで、どんどんネコが増《ふ》えてるじゃないの。不妊手術《ふにんしゅじゅつ》や去勢手術《きょせいしゅじゅつ》もしてないでしょ？」

先頭に立つ紫《むらさき》ヘアーのご婦人《ふじん》が強い口調で迫《せま》っても、スズキさんはどこ吹《ふ》く風だ。

「不妊手術《ふにんしゅじゅつ》ねえ……そんなことをする義務《ぎむ》はないよ。それと、生き物がウンコをするのはしょうがない。ハトやカラスだってまき散らしてるだろ？」

一方的にまくしたて、スズキさんはバタンとドアを閉《し》めてしまった。

「もう完全に頭にきたわ。スズキさんは『オレの飼《か》いネコじゃない』って言いはってるけど……ノラなら、むしろ好都合だわ。もしケガをさせても慰謝料《いしゃりょう》は請求《せいきゅう》できないわけよ。」

タナカさんは、勝ちほこった調子で仲間たちに話している。

（あっ！）

成り行きを見守っていたトモエは思わず声をあげそうになった。

さっきの子ネコが庭にもどってくると――タナカさんは、子ネコめがけて石を投げつけたのである。

（この先、どうなってしまうんだろう。）

トモエもここに引っ越《こ》してきたころ、かわいそうだと思ってノラネコにエサをやったことがあった。一方、ウンチやおしっこのにおいはトモエも気になっていた。このままにしておけばもっとひどくなるだろう。ネコはどんどん増《ふ》えていくのだ。

トモエは勇気を出して、2人を呼《よ》び出した。

「スズキさん、タナカさん。どうせなら2人いっぺんにお話しした方がいいと思いまして。あなた方がやっていることは犯罪《はんざい》に当たりますよ。」

「え！　犯罪《はんざい》!?」

スズキさんとタナカさんは声をそろえて、仲よく顔を見合わせたのである。

トモエが「犯罪《はんざい》」に当たると指摘《してき》したのはどんなことだろうか。

解《かい》説《せつ》

タナカさんは「ノラネコなら、ケガをさせても慰謝料《いしゃりょう》を取られることはない」と思ったが、相手がノラでも動物愛護管理法《どうぶつあいごかんりほう》ではアウト。ケガがなくても「石を投げる」だけで懲役《ちょうえき》あるいは罰金《ばっきん》を申し渡《わた》されるケースがある。スズキさんは「飼《か》いネコじゃないから自分に責任《せきにん》はない」と言うが、都道府県では「不適切《ふてきせつ》な飼養《しよう》や無責任《にん》なエサやりのために周辺の生活環境《かんきょう》が損《そこ》なわれている」場合、原因《げんいん》となる人に改《かい》善《ぜん》命令を出せる。違反《いはん》が続けば、罰金《ばっきん》が科《か》されるのだ。2人は「犯罪《はんざい》」というキーワードにビビって態度《たいど》を改めたので、この後問題は収束《しゅうそく》に向かった。

ネコに関するトラブルは市町村の役所の市民課、生活課などに相談するのがいい。解決《かいけつ》の方法は地域環境《ちいきかんきょう》やケースによってさまざま。ノラのまま「地域《ちいき》ネコ」として管理する取り組みも増《ふ》えているが、それには不妊《ふにん》・去勢手術《きょせいしゅじゅつ》を行い、数が増《ふ》えないようにするのが重要と考えられている。近年は、こうした取り組みなどの効果《こうか》もあり、保健所《ほけんじょ》によるネコの殺処分《さっしょぶん》は大幅《おおはば》に減少《げんしょう》してきている。

29

オレは不審者《ふしんしゃ》!?

露出《ろしゅつ》→有罪《ゆうざい》?

うららかな春の日のことだった。

オレは満開の桜《さくら》を見上げながら、ビニールシートの真ん中に寝《ね》そべっていた。

大学の友だちと花見をすることになり、日中の授業《じゅぎょう》がないオレが場所取りを引き受けていたんだ。

みんなが集まるのは夕方ごろらしい。ヒマだな、早くだれか来ないかなと思っているうちに、オレは眠《ねむ》りこんでしまっていた。

「ちょっと、起きてください!」

肩《かた》をトントンとたたかれて目が覚めると。

目の前にいたのは、困《こま》ったような顔のおまわりさんだ。

「通報《つうほう》がありましてね。公園で、不快《ふかい》なかっこうで寝《ね》ている男性《だんせい》がいると……。」

「通報《つうほう》!?」

穏《おだ》やかでない言葉にビックリして体を起こすと、下腹《したはら》にタオルがかけられている。

タオルをめくってみると……オレのスウェットパンツと下着は下ろされていて、股間《こかん》に大きな葉っぱがはりつけてあったんだ。

オレはあわてて立ち上がり、ガムテープではられていた葉っぱを捨《す》て、急いでパンツを上げる。

(え、なんで……!?)

あせりまくりながら周囲《しゅうい》を見渡《みわた》すと、少しはなれた木の後ろで体をよじって笑っている人かげが見えた。あいつら、やりやがったな!

ヤツらの方に向かってダッシュしようとしたが、2人のおまわりさんに肩《かた》をつかまれてしまった。

「あの、これやったのぼくじゃないんです！」

必死にわめいたが、おまわりさんははなしてくれない。

そうしている間に、ヤツらは逃《に》げていってしまった。

そんなぁ。ときどき「下半身を露出《ろしゅつ》する不審者《ふしんしゃ》」のニュースを見かけるけど……

オレ、もしかしてニュースになっちゃうのか⁉


主人公は罪《つみ》に問われるのだろうか。

解説《かいせつ》

主人公に罪《つみ》はない。おまわりさんは、この場から逃走《とうそう》されると困《こま》るので、とりあえず主人公を確保《かくほ》したのだ。その後、主人公から事情《じじょう》を聞き、いたずらをしたと思われる友人を呼《よ》び出した結果、主人公の潔白《けっぱく》は証明《しょうめい》された。

多数の人がいる場所で全裸《ぜんら》になったり、性器《せいき》を露出《ろしゅつ》するなどした場合、「公然わいせつ」という罪《つみ》になる。パンツをはいていたり、大事なところがギリギリ隠《かく》れていてもセーフとはかぎらない。他人に不快《ふかい》な気持ちを起こさせるかっこうをしていると「身体露出罪《ろしゅつざい》」という軽犯罪《けいはんざい》に当たる可能性《かのうせい》が高い。

この話の場合、「露出《ろしゅつ》した」のは主人公だが、それは友人の悪質《あくしつ》ないたずらによるものだ。主人公は被害者《ひがいしゃ》で、友人の行動は「暴行罪《ぼうこうざい》」「強制《きょうせい》わいせつ罪《ざい》」などの罪《つみ》に当たる。友人たちは反省し、主人公に謝罪《しゃざい》したために刑罰《けいばつ》はまぬがれたが、親しい関係であっても許《ゆる》されない行為《こうい》である。

30

一《いち》途《ず》な思い

好意→有罪《ゆうざい》？

「え!? ツムギ、ユキムラくんとつきあうことにしたの？」

あたしは心底ビックリしてツムギを見つめた。ツムギはずっとタジマくんが好きだったはずなのに。

「タジマには好きな子がいるんだって。無理かなぁと思ってたとこにユキムラくんが告白《こくはく》してきたからさ。つきあってみるのもいいかなって思ってさ。」

「切り替《か》え早いなぁ。あたしは、絶対《ぜったい》あきらめないよ。」

「あんたはホントに一途《いちず》だよねぇ。」

あたしは2か月前のバレンタインデーに、同じ天文部のネモトくんに告白《こくはく》した。

ネモトくんはあたしのこと、「恋人《こいびと》にはなれないけどいい友だちだと思ってる」って。

だから――「まだ、好きでいていい？」って聞いたらうなずいてくれた。ネモトくんにふりむいてもらえるようにがんばって、来年のバレンタインデーにもう一度告《こく》白《はく》するんだ。1年後にはネモトくんの気持ちも変わるかもしれないもの。

「積極的にいかないとだから、毎日スマホでメッセージ送ってるんだ。寝《ね》る前にはいつも『ネモトくん、おやすみ。大好きだよ！』って。」

「それ、恋人《こいびと》みたいじゃん。メッセージってどれくらい送ってるの？」

「1日に……少なくても10件《けん》くらいかなぁ。」

「そんなに？　どんなこと書いてるの？」

「ふつうのことだよ。『今日体育のときシュート決めてたのカッコよかったね』とか。帰りにアイス食べに行ったときは『ネモトくんと寄《よ》り道したいな』とか。」

「それに、ネモトくんも返事返してくるわけ？」

痛《いた》いところをつかれた。

「ううん。実は一度ね、『迷惑《めいわく》』って言われちゃってさ。」

「え？　なのに送ってるの？」

「今はメッセージの最後に必ず『返信はしなくていいです』って入れてるんだ。これなら負担《ふたん》にならないでしょ。」

ツムギは大げさにフウッと息をはくと――ひどいことを言ったんだ。

「メッセージ送るの、もうやめた方がいいよ。犯罪者《はんざいしゃ》になる前に。」

なんでそんなこと言うの？　好意を伝えてるだけで、あたしは返事さえ求めてない。つきまといもしてないし、ただ見てるだけなのに――。


主人公の行動は「犯罪《はんざい》」のうちに入るのだろうか。

解説《かいせつ》

主人公の行動は「ストーカー規制法《きせいほう》」にふれ、罪《つみ》に問われる可能性《かのうせい》がある。ポイントは、相手が「迷惑《めいわく》だ」とはっきり告《つ》げているのに、メール攻撃《こうげき》を続けている点だ。好意のつもりでも、毎日大量のメッセージが送られてくることに相手が不快感《ふかいかん》、不安感を持てば、それは「いやがらせ」と認《みと》められる。芸能人《げいのうじん》がストーカーの被害《ひがい》にあったニュースを聞いたことはないだろうか。芸能人《げいのうじん》は応援《おうえん》してくれるファンに厳《きび》しくしづらいもの。職場《しょくば》や学校の仲間同士《どうし》でも同じことがありうる。「相手が拒否《きょひ》しているのに」会うことを求める、メッセージを膨大《ぼうだい》に送りつける、待ちぶせをするなどは犯罪《はんざい》になる。もし、こうした被害《ひがい》にあった場合は、警察《けいさつ》に相談を。届《とど》いたメールやプレゼントなどは証拠《しょうこ》になるので残しておこう。

ネモトくんも困《こま》っていたが、相手が部の仲間なのでガマンしていた。主人公はツムギに説明を受けてことの重大さを理解《りかい》し、すっぱりメッセージを送るのをやめた。このままでは好かれるどころか、通報《つうほう》される可能性《かのうせい》もあったわけなのだ。

31

闇《やみ》夜《よ》の自転車

不審《ふしん》→有罪《ゆうざい》？

そろそろ日付が変わろうかという時間だが、湿度《しつど》をふくんだ空気がねっとりとしてむし暑い。どんよりとした雲が月の姿《すがた》をおおいかくす真夏の夜。

コトミのサンダルのコツコツという音だけが、静かな住宅街《じゅうたくがい》に響《ひび》いている。

(家に帰ったらすぐにエアコンかけて、水風呂《みずぶろ》に入るんだ！)

そんなことを考えながら歩いていたコトミは、前方に自転車を止めて立っている人がいるのに気づいてドキッとした。

黒いキャップに眼鏡《めがね》。T《ティー》シャツもハーフパンツもスニーカーも黒一色だ。

一瞬《いっしゅん》、警戒心《けいかいしん》が働いたが——。

（あ、なんだ。自動販売機《じどうはんばいき》で買ったジュース飲んでるだけか。）

コトミはホッとして、男の横を通りすぎた。背後《はいご》で、男がゴミ箱に缶《かん》をつっこんだらしいゴトンという音がする。

コトミは2、3メートル歩いて、男が自分を追いこしていかないのを不審《ふしん》に思った。

さっき目にした「ひったくりに注意！」という看板《かんばん》の文字が急に頭によみがえってきて、コトミは不安になる。困《こま》ったことにこのあたりは街灯が少ない。

コトミは気になって、チラッと後ろを見やった。

すると、闇《やみ》の中、彼《かれ》は自転車を押《お》しながらノロノロ歩いているのだ。

（なんで自転車に乗らないわけ？　もしかして、後をつけられてる？）

コトミは横断歩道《おうだんほどう》をわたり、反対側の歩道を歩き始めた。後ろを歩かれるよりはこの方がいいと思ったからだ。

男はあきらかにコトミの方を気にしている様子だ。

（もし、こっちにわたってきたら……。）

コトミはゾッとして足を早め、やがて走り出した。

そして、交番にかけこむと警察官《けいさつかん》に助けを求めたのだ。

「つけられてるんです！」

警察官《けいさつかん》から長い取り調べを受けた後、無罪放免《むざいほうめん》された男は大きく伸《の》びをした。

（マジメに法律《ほうりつ》を守る市民であろうとしたせいで疑《うたが》いをかけられるとはな……。）

そして、彼《かれ》はまた自転車を押《お》しながら歩いていったのだ。

男には自転車を押《お》して歩かなければならない理由があった。
それは何だろうか。タイヤがパンクしていたわけではない。

この男は自転車のライトが故障《こしょう》したのに気づいたので、自転車を押《お》して歩いていたのである。暗くなってからの無灯火運転は交通違反《こうつういはん》。事故《じこ》を起こしたりしなければすぐさま逮捕《たいほ》されることはないようだが、警察官《けいさつかん》に見つかったら必ず注意や警告《けいこく》を受ける。ただし自転車を押《お》して歩いている限《かぎ》りは「歩行者」なので問題ない。コトミに誤解《ごかい》されたのは不運そのものだ。コトミが自分の方を見てくるので、つい見返してしまったのもしかたがないだろう。ちなみに酒に酔《よ》ってフラつくような状態《じょうたい》で自転車に乗るのも法律違反《ほうりついはん》になるが、この場合も自転車を押《お》して歩いていればセーフである。

そのほか自転車では2人乗り、スピードの出しすぎ、右側を通行する、並走運転《へいそううんてん》（2台以上で並《なら》んで走る）、スマホを見ながらの運転、イヤホンの使用、片手運転《かたてうんてん》（スマホ通話や傘《かさ》をさしたり物を担《かつ》ぐ）などが刑罰《けいばつ》の対象《たいしょう》になる。自転車が走行できるエリアは地域《ちいき》によって異《こと》なるので、日ごろから通行区分をよく理解《りかい》しておこう。

32

ブドウ畑の午前2時

法律《ほうりつ》↓本当？

つやつやとした黒ブドウが月明かりに照らされ、神秘的《しんぴてき》なムードをたたえている。

ジェラールはその一房《ひとふさ》をそっと手に載《の》せてみる。ずっしりとした重みがあった。

このブドウがもうじき収穫《しゅうかく》され、世界有数のワインに仕上げられるのだ。

南フランスのシャトーヌフ＝デュ＝パプという土地は一年を通して気温が高い。地面をうめつくす茶色っぽく丸い石が太陽の熱を集めるのも、ブドウが熟《じゅく》するのによい条件《じょうけん》となっている。

ジェラールは、ひょんなことからこのブドウ畑の持ち主であるアンドレと知り合い、泊《と》まりがけで招待《しょうたい》されていた。アンドレはブドウ栽培《さいばい》からワインの醸造《じょうぞう》までを行う、３００年以上の歴史《れきし》があるワイナリーの責任者《せきにんしゃ》だ。

秘蔵《ひぞう》のワインを楽しみながらワイン談義《だんぎ》に花を咲《さ》かせ——ジェラールは少々興奮《しょうしょうこうふん》して寝《ね》つけなかった。そこで、夜風に当たろうと散歩しているうちに、日中に案内されたブドウ畑まで来ていたのである。

ふと、ジェラールは人の気配を感じた。

（まちがいない。だれかいる。ブドウどろぼうか⁉）

ジェラールは姿勢《しせい》を低くして、そろそろ畑の中を進む。

すると——ブドウにふれるでもなく、夜空をながめている男がいたのだ。

「おい、こんな夜中に何をしてるんだ！」

カメラを手にした男は一瞬《いっしゅん》ひるんだが、平然と言った。

「UFO《ユーエフオー》を待っているんです。」

「は……？」

ジェラールは拍子《ひょうし》ぬけして、言葉を失った。男は続けた。

「シャトー＝ヌフ＝デュ＝パプには『空飛ぶ円盤《えんばん》がブドウ畑の上空を飛ぶこと、着陸すること、離陸《りりく》することを禁《きん》じる』という法令があるんです。そんな法令があるのは、ここに空飛ぶ円盤《えんばん》が来がちだっていう証拠《しょうこ》でしょ。」

午前2時。ジェラールは男とブドウ畑の真ん中で見つめあった。

「ばかばかしい。そんな法令があるか。おまえ、ブドウどろぼうじゃないのか？」

その男はジェラールをにらみつけると、カメラを持った手を空につきあげた。

「失礼なことを言うな。オレはマジメな話をしてるんだ。」


ブドウ畑に「UFO《ユーエフオー》観測《かんそく》に来た」という男の言い分は信用できるのだろうか。

解説《かいせつ》

南フランスの地方自治体、シャトーヌフ＝デュ＝パプに「空飛ぶ円盤《えんばん》がブドウ畑の上空を飛ぶこと、着陸すること、離陸《りりく》することを禁《きん》じる」という法令があるのは事実。

この法令が制定《せいてい》されたのは1954年のこと。世界各地でUFO《ユーエフオー》の目撃談《もくげきだん》が報告《ほうこく》されたころである。法令を定めた市長の息子は「当時はUFO《ユーエフオー》が話題になっていたから、父はシャトーヌフ＝デュ＝パプの宣伝《せんでん》になると考えてこの法令を考えたのだろう」と語っている。そのころ、フランス北部で葉巻型《はまきがた》の宇宙船《うちゅうせん》が目撃《もくげき》されたこともアイディアの一端《いったん》になったようだ。

フランスでは国立宇宙《うちゅう》研究センターがUFO《ユーエフオー》の情報《じょうほう》を集めており、その存在《そんざい》を認《みと》めているらしい。最近では2016年に、新しい市長がこの法令を廃止《はいし》しないことを発表し、話題を呼《よ》んだ。

33

ロックスターの奇行《きこう》

名所→逮捕《たいほ》？

1982年、アメリカはテキサス州にて。

「イエ〜〜〜〜〜〜〜〜イ！　気分サイコーだねぇ！」

オジーはおかしなポーズをとってマックスの方をふり向いた。

音楽雑誌《ざっし》のカメラマンであるマックスは、真っ昼間だというのにすっかり酔《よ》っぱらって現《あらわ》れたオジーにとまどっていた。彼《かれ》のとっぴなふるまいにはなれてはいたが、酔《よ》っぱらうとさらに何をしでかすかわからない。

オジー・オズボーンは、イギリスのヘヴィメタル・バンドのボーカリストだ。

現在《げんざい》アメリカツアー中だが、スケジュールの間をぬって雑誌《ざっし》に載《の》せる写真を撮影《さつえい》することになっている。

「なあ、オジー。そのかっこうはどうした？　新しいステージ衣装《いしょう》か？」

「いや、恋人《こいびと》の服を借りてきたんだ。あいつ、『酔《よ》っぱらってるから外に出るな』って言って、オレの服をかくしやがったんだ。真っ裸《ぱだか》で来るわけにいかないからな。オレ、えらいだろ？」

ミニのワンピースを着て、ピンクのタイツをはいている長髪《ちょうはつ》のおじさんの姿《すがた》は周《しゅう》囲《い》の観光客に注目されまくっている。

「なるほど、そういうわけか。じゃあ、撮影《さつえい》を始めるよ。」

「OK《オーケー》！　で、さぁ、ここって何なの⁉」

「アラモ砦《とりで》だよ。」

マックスが撮影《さつえい》場所に選んだのは、サンアントニオ市の名所、アラモ砦《とりで》だ。今から200年近く前、テキサスがメキシコから独立《どくりつ》したときに起こった戦争で、テキサス軍の多くの人々《ひとびと》が戦死した場所である。

「その戦没者慰霊碑《せんぼつしゃいれいひ》は、戦争で命を落としたテキサスの人たちの魂《たましい》を慰《なぐさ》めるために建てられた記念碑《きねんひ》なんだ。」

「へぇ〜、そう。」

オジーはワンピースのすそをヒラヒラさせながら戦没者慰霊碑《せんぼっしゃいれいひ》に近づくと——マックスが制止《せいし》する間もなく、とんでもないことをやらかしたのだ。

「おい！　何をやってる！」

周囲《しゅうい》は騒然《そうぜん》となり、オジーはその場で警察《けいさつ》に現行犯逮捕《げんこうはんたいほ》されてしまった。その上、10年間はサンアントニオ市への立ち入りを禁止《きんし》されたのである。


オジーが何をやらかしたのか想像《そうぞう》してみてほしい。ちなみにオジーは何も持っていなかった。

解《かい》説《せつ》

オジーは戦没者慰霊碑《せんぼつしゃいれいひ》に立ち小便をしたのである。目立つ服装《ふくそう》をしていたこともあり、すぐに取り押《お》さえられて逮捕《たいほ》されたという。これは実話をもとにした話。有名なロックボーカリストであるオジー・オズボーンはこのときひどく酔《よ》っぱらっていたそうだが、だからといって許《ゆる》されるわけではない。

オジーはサンアントニオ市への立ち入り禁止《きんし》が解《と》かれた10年後に史跡《しせき》の管理団体《だんたい》に1万ドル（当時の約120万円）を寄付《きふ》するなど、反省の気持ちを表した。33年後にも再訪《さいほう》し、改めて謝罪《しゃざい》したという。

ときおり、歴史的遺産《れきしてきいさん》に落書きをして罰《ばつ》を受けたケースが報道《ほうどう》されるが、このように「跡《あと》が残らない」ものであっても、市民にとって大事なものを侮辱《ぶじょく》すれば罪《つみ》になる。特別な名所でなくても、立ち小便はアウト。日本でも、路上や駐車場《ちゅうしゃじょう》など公共の場で立ち小便をすると、軽犯罪法違反《けいはんざいほういはん》が成立する可能性《かのうせい》が高い。

34

おもてなしの心

失敗↓なぜ?

アメリカはカリフォルニア州、サンフランシスコ市。

ぼくはいとこのマイルズが経営《けいえい》するこじんまりとしたレストランの一角におさまっていた。日本とアメリカ、ふだんは遠くはなれているが、同い年のマイルズとは幼《おさな》いころから仲がいい。会うのは10年ぶりだけど、ともに料理人の仕事をしていることもあってか、気持ちがすぐに通じあうのを感じていた。

「うん、うまいな!」

ぼくがマイルズ特製《とくせい》のシーフード料理をぺろりと平らげたとき——マイルズは電話をとってキッチンの奥《おく》に引っこんだ。

そして、すまなさそうな顔でもどってきたのである。

「タロウ、申し訳《わけ》ないんだが出かけなきゃならなくなった。カレンが仕事のトラブルで帰れなくなってさ。オレがマットを迎《むか》えに行くしかないんだ。」

カレンというのは、広告《こうこく》代理店で働いているマイルズの妻《つま》。

マットは小学生の息子で、毎日スイミングスクールに通っていると話を聞いたばかりだ。

するとそこへ、顔なじみらしいお客が入ってきた。

「こんばんは、マイルズ。なんかうまいもん食わせてくれよ。」

「悪いな。今日は臨時《りんじ》休業だ。今すぐ出かけるんだ。」

マイルズが言うと、その男はがっかりした顔になる。

「なんでもいいから食わせろよ。そっちの助手の兄ちゃんの料理でもいいからさ。オレはマイルズの店で出すもんに文句《もんく》は言わねえぜ。」

「こいつは日本から来たオレのいとこで、助手じゃないよ。まあ、料理人ではあるけど。」

すると、ゲイリーと名乗ったそいつは目を輝《かがや》かせたのだ。

「日本人か。そりゃいい。オレ、一度日本食を食べてみたかったんだ！」

そんなわけで、オレはマイルズの留守《るす》を預《あず》かることになったんだ。

「2時間で帰ってくるから、日本流で自由にやっててくれ。」

マイルズはのん気にもそう言って出かけていった。


キッチンにある材料で肉じゃがや天ぷらを作るとゲイリーは満足してくれたので、なんだか自分の店にいるときと同じような気分になってきた。

よし、こうなったらせっかくだしオレ流でやってみるとするか。

何か物足りないと思ったら、この店にはおしぼりってものがない。

オレは水にひたしたタオルをかたくしぼって冷蔵庫《れいぞうこ》に入れておいた。これも、オレらしいもてなしのひとつだからな。

「いらっしゃいませ。」

次にやってきたカップルがカウンター席に座《すわ》ったので、オレはにこやかに笑いかけた。

水とおしぼりを置くと、２人は不思議そうに顔を見合わせた。見慣《な》れない日本人に接客《せっきゃく》されたから驚《おどろ》いたんだろうな。

「マイルズが留守《るす》なので今日はいつもとはちがうメニューになるけど、それでもいいですか？」と説明すると、２人は「初めて来たからかまわない」と言う。

やはり、天ぷらやきゅうりの酢《す》の物を「おいしい」と言ってくれたのでホッと胸《むね》をなでおろす。

暑いせいかビールやワインといった飲み物のオーダーも多くて、一人だとなかなかいそがしい。

チラッと店をのぞいて、マイルズがいないので帰ってしまう客もいたが。

それならばと外の看板《かんばん》に「本日限定《げんてい》。日本食メニューあります」と書いた紙をはりつけると、初めてのお客さんも呼《よ》びこむことができた。

日本人がめずらしいのか、やたらジロジロ見られているのが気になるが、まあまあいい調子だ。

海外で日本食の店をやるのもいいな、なんて思っていたんだが。

オレは次の日、ひどく落ちこむことになった。

いくら知らなかったとはいえ、マイルズに迷惑《めいわく》をかけてしまったのがくやまれる。

罰金《ばっきん》はオレが払《はら》うと言いはったんだが――結局、半分だけ負担《ふたん》させてもらうことになった。

なじみのない場所で「日本流」をつらぬくのは危険《きけん》なことなんだな。


「日本流」のおもてなしに問題があり、マイルズの店は通報《つうほう》されて罰金《ばっきん》を払《はら》うことになった。水、おしぼり、日本食の看板《かんばん》のうち、どれがまずかったのだろうか。

解説《かいせつ》

日本ではレストランでも喫茶店《きっさてん》でも、水を出すのは当然。だが、アメリカのサンフランシスコ市では「レストランで客が頼《たの》まないのに水を出すのは違法《いほう》」なのである。

アメリカ西部、特にカリフォルニア州は干《かん》ばつに悩《なや》まされており、水不足が深刻《しんこく》な問題となっている。そのため、客が「水をくれ」と言ったら出してもいいが、ムダになるかもしれない水を出すのはアウトなのだ。最高で10万円近い罰金《ばっきん》か禁固《きんこ》刑《けい》、あるいはその両方という厳《きび》しい罰則《ばっそく》が設《もう》けられている。

サンフランシスコ市では、水を再《さい》利用する施設《しせつ》以外で車を洗《あら》うのも違法《いほう》である。

35 お年玉

貯金《ちょきん》↓横領《おうりょう》？

ショウマが「パパが最新のゲーム機を買った」って言うから、さっそく遊びに行ったんだけどさ。めちゃくちゃおもしろかったなぁ！

明日も遊ばせてもらう約束をしてきたけど……そう毎日行くわけにもいかないあー、自分のがほしいなあ。

でも、誕生日《たんじょうび》プレゼントはもらったばっかだし、クリスマスはだいぶ先。それに、うちの場合、たぶん予算オーバーだな。あれ、4万円くらいするはずだし。

弟と共同ってことにして、「来年のクリスマスプレゼントはいらないから」とか交渉《こうしょう》したらなんとかなるかな？

待てよ。4万円くらいだったら——自分で買えるかも。

お正月に、おじいちゃん、おばあちゃんや親せきからお年玉をもらうとさ。

ママは毎年、そのとき使っていい金額《きんがく》だけをぼくにわたして「あとは銀行に貯金《ちょきん》しとくからね」って言うんだ。

ママがぼくの貯金通帳《ちょきんつうちょう》を作ってくれたのは小学1年のときだ。

あれから通帳を見せてもらってないけど——4年もたってるから、あのゲーム機が買えるくらいはたまってるはず。


ぼくは家に帰るとすぐ、ママにその件《けん》を切り出したんだけど。

「ダメよ。ゲーム機なら一昨年買ったのがあるじゃない。あんたはすぐ新しいのをほしがりすぎ」って言うんだ。

でもさ。ぼくがもらったお年玉貯金《ちょきん》なのにおかしくないか？

どうしてぼくのほしい物を、ぼくのお金で買っちゃいけないんだ？

ぼくは、ママが大切な物をしまっている引き出しをそっと開けた。

あった。ぼくの貯金通帳《ちょきんつうちょう》！
表紙にはまちがいなく、ぼくの名前が印字されている。
ところで、これ……どうやったらお金を引き出せるんだ？　ATM《エーティーエム》で下ろすには
カードがいるんだっけ？　それはどこにあるんだろう。
考えてたら、後ろからサッとママの手がのびて通帳を取り上げられた。
「だから、ダメだって言ってるでしょ。」
親とはいえ、子どものお金を自由に使わせないってどうなんだよ。
これって横領《おうりょう》じゃないのか!?

主人公の名義《めいぎ》の「お年玉貯金《ちょきん》」を使わせてくれないママは有罪《ゆうざい》だろうか。それとも無罪《むざい》だろうか。

解説《かいせつ》

無罪《むざい》。確《たし》かに子どもがもらったお年玉は子どもの財産《ざいさん》である。だが、保護者《ほごしゃ》には、子どもの財産《ざいさん》を管理する権利《けんり》があるのだ。保護者《ほごしゃ》は子どもを育て、保護する権《けん》利《り》と義務《ぎむ》がある。この「保護《ほご》する権利《けんり》と義務《ぎむ》」は子どものためにあるものだ。保護《ほご》者《しゃ》は子どもが成長し、自立できるように教育やしつけを行う。だから、保護者《ほごしゃ》はただ子どものお年玉を「預《あず》かる」だけでなく、適切《てきせつ》なときにわたしたり、お金の使い方を教える役割《やくわり》を担《にな》っているのだ。

ちなみに、親が子どものお年玉を自分のために使うのはアウト。ただし、子どもの教育や生活に必要なものを買うために使うのはOK《オーケー》だ。

ママに説明を受けた主人公はブツブツ文句《もんく》を言っていたが、やがて自分が深く考えずにお金を使いがちなのを認《みと》めた。今はママに管理してもらい、将来《しょうらい》、有効《ゆうこう》に使えるのを楽しみにしているという。

36

友だちのポートレート

写真→権利《けんり》？

「あ、やっとヒロインが来た！」

「マユリ、大ニュースだよ〜！」

その朝、マユリが教室に入っていくと、仲よしの面々《めんめん》がいきなりハイテンションで迎《むか》えたので彼女《かのじょ》は面くらった。

「なんなの、ヒロインって。」

マユリが聞くと、輪の中心にいたミトが意味ありげに笑った。

「前にさ、あたし、みんなにモデルになってもらっていっぱい写真撮《と》ったじゃん。そのときの写真を雑誌《ざっし》のコンテストに送ったら、佳作《かさく》に入賞《にゅうしょう》したの。きのう出版社《しゅっぱんしゃ》の人からメールが来てさ。来月号の『アカネカメラ』に掲載《けいさい》されるんだって！」

ミトの横から、みんなが目をキラキラさせて口をはさむ。

「ミトが何枚《まい》か応募《おうぼ》した中で、入賞《にゅうしょう》したのがマユリを撮《と》った写真だったんだって。すごくない⁉」

「これが話題になって芸能界《げいのうかい》からスカウト来るかもよ。」

「マユリ、なんとか言いなよ。反応《はんのう》うすすぎだって！」

みんなに囲《かこ》まれて、マユリは目をパチクリさせた。

このお祭りムードに水をさすのはわかっていたが、マユリは言わずにいられなかった。

「コンテストに応募《おうぼ》するなんて聞いてないよ。」

「だって、あたしもまさか入賞《にゅうしょう》するなんて思ってなかったもん。いい写真が撮《と》れたから、とりあえず応募《おうぼ》してみようって思いついて。」

マユリは少し考えこんだ。

（やっぱりこのままにしておくわけにはいかない。）

マユリは自分のアップの写真が雑誌《ざっし》に掲載《けいさい》されるのはどうしてもイヤだったのだ。

「あのさ、ミト。申し訳《わけ》ないんだけどね。その写真、雑誌《ざっし》に載《の》せるの、断《ことわ》ってもらえないかな。」

ミトは口をポカンと開けてマユリを見つめる。

「なんで？」

「なんでって……。自分の顔が雑誌《ざっし》に載《の》るのがイヤだから。それ以外に理由はないよ。」

マユリの言葉に、みんな驚《おどろ》いている。

「ええ、もったいなーい。」

「せっかく入賞《にゅうしょう》したのに。」

「雑誌《ざっし》に載《の》るチャンスなんてめったにないじゃん。」

ミトはマユリをにらみつけ、口を開く。

「あー、テンション下がる。今さらそういうこと言われるのってめちゃくちゃ困《こま》るんだけど。」

「うん……でも、聞いてなかったから。」

ミトは腕組《うでぐ》みをした。

「いろいろハッキリさせとこうか。まず、あたしはマユリを無断《むだん》で撮《と》ったわけじゃないよね。いやがるのを無理に撮《と》ったわけでもない。あのとき、みんなに『モデルになって』って言ってさ。マユリも自分から撮《と》られてたでしょ。」

「うん。」

「それに、あの写真、マユリだって自分で『気に入った』って言ったじゃん。」

「気に入ってる。今もそう思ってるよ。」

ミトはまるで納得《なっとく》がいかないという顔でため息をつく。

それから、ハッと思いついたように言ったのだ。

「そもそも……あの写真はあたしの『作品』なんだよね。それはわかる？」

マユリがうなずくと、ミトはキラリと目を光らせた。

「それを公開するなっていうのは、『表現《ひょうげん》の自由』をおびやかすことになるんじゃない？　なんなら編集部《へんしゅうぶ》に問い合わせてみようか。」

マユリは「自分が写った写真を載《の》せてほしくない」と言う。ミトは「自分の作品を載《の》せることに口出しされるのはおかしい」と言う。どちらの主張《しゅちょう》が通るだろうか。

もし、マユリの同意が得《え》られていないのに、マユリの写真が雑誌《ざっし》に載《の》ってしまった場合は「肖像権《しょうぞうけん》」の侵害《しんがい》となる。肖像権《しょうぞうけん》の侵害《しんがい》になるのは「他人を無断《むだん》で撮影《さつえい》した場合」「写真が広く世に拡散《かくさん》される可能性《かのうせい》が高い場合」「撮《と》られた人が撮影《さつえい》は許可《きょか》していても、公開することは認《みと》めていない場合」など。

ミトは「表現《ひょうげん》の自由」という権利《けんり》を持ち出したが、このケースでは表現《ひょうげん》の自由よりも「肖像権《しょうぞうけん》」を守ることが優先《ゆうせん》される。

ミトが『アカネカメラ』に連絡《れんらく》して確認《かくにん》を行った結果、ミトの作品は掲載《けいさい》されないことになった。ミトはマユリにあやまり、2人は仲直りしたという。

スマートフォンで撮《と》った写真をSNS《エスエヌエス》に投稿《とうこう》するときなども、そこに写っている人に許可《きょか》を得《え》ること。知らない人が写りこんでしまった場合、顔が判別《はんべつ》できるようならアップしないこと。または顔がわからないように加工することだ。

37

一冊《いっさつ》のマンガ

盗《ぬす》み→有罪《ゆうざい》？

スマホの画面に見知らぬ電話番号が表示《ひょうじ》されている。

だれだろうと思いながら電話に出ると、相手は駅前の本屋さんの店長だと名乗った。続いて「Z《ゼット》くんのお母様でしょうか」と聞かれて「はい、そうですが」と返事をすると。

一瞬《いっしゅん》で頭が真っ白になった。息子がマンガを万引きしたのだという。

急いで本屋さんにかけつけ、事務所《じむしょ》を訪《たず》ねる。息子はイスに腰《こし》かけていて、わたしを見るとホッとしたような顔をしたが、すぐに目をふせた。

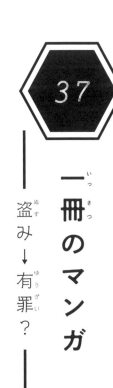

「ねえ、本当に万引きなんかしたの？」

信じられない思いで聞くと、息子はかすかにうなずいた。

「本当に本当なの？　何かのまちがいじゃないんですか？」

冷静ではいられなくなり、店長さんの方をうかがうと。

「息子さんがマンガをバッグに入れたところを見ていたお客さんが店員に伝えましてね。それで、バッグの中をあらためさせてもらったんです。」

そう言われたら、認《みと》めるしかないけど——。

「中学3年だそうで受験も近いし、難《むずか》しい年ごろでしょうしね。なるべく大ごとにしたくはないと思います。ですが……万が一、初めてではない場合は問題です。うちや、あるいはほかのお店で万引きをしたことはないか、ちゃんと聞いておきませんと。」

カッと頭に血がのぼった。

「これまでに万引きしたことなんかないですよ。そうでしょ？」

息子の顔をのぞきこんだが、無言で首をタテにふっただけだ。

「息子さんが万引きしたのはこれなんですが。」

店長さんは一冊《いっさつ》のマンガを見せた。値段《ねだん》を見ると、590円だ。

こんなときは、親としてキッパリした態度《たいど》をとらなくちゃ。

わたしは1000円札を差し出した。

「では、買わせていただきます。おつりはけっこうですから！」

店長さんも「大ごとにはしたくない」と言っていたし——まさか警察《けいさつ》を呼《よ》ばれることになるなんて思わなかった。たった590円のために。

主人公は、息子が万引きしたマンガの代金を支払《しはら》った。それでも罪《つみ》になるのだろうか。

解《かい》説《せつ》

万引きは「窃盗罪《せっとうざい》」。万引きをしたのが事実なら、すぐに商品を返しても、商品の代金を払《はら》っても「盗《ぬす》んだ」罪《つみ》は消えない。

万引きをした当人や保護者《ほごしゃ》がお店の人にきちんと謝罪《しゃざい》し、深く反省している場合はそのまま帰してもらえることもある。だが、当人が反省の色を見せず、保護者《ほごしゃ》も「お金を払《はら》えばいいんでしょ?」と言わんばかりの態度《たいど》では警察《けいさつ》を呼《よ》ばれる可能性《かのうせい》は高くなる。たとえ少額《しょうがく》の品でもお店の受けるダメージは大きく、万引きの損害《そんがい》でお店がつぶれることもあるのだ。万引き犯《はん》には動機や、万引きした品を転売していないか、仲間と共謀《きょうぼう》していないかなど、しっかり聞き取りを行う必要がある。

未成年でも14歳《さい》以上であれば、大人と同様に逮捕《たいほ》されるケースもある。13歳《さい》以下の場合は逮捕《たいほ》されることはないが、児童相談所に通告《つうこく》されるなど「少年事件《じけん》」として処《しょ》理《り》されることになる。主人公は警察《けいさつ》を呼《よ》ばれて、万引きの罪《つみ》の重さを理解《りかい》し、息子ともども真剣《しんけん》に反省した。結果、逮捕《たいほ》はまぬがれたという。

38

失われた証拠《しょうこ》

危機《きき》→逆転《ぎゃくてん》？

机《つくえ》の引き出しをかき回しながら、オレは自分のだらしなさを呪《のろ》った。
いくら探《さが》しても借用書《しゃくようしょ》が見つからない！
友人のN《エヌ》に20万円を貸《か》したのは2年ほど前のこと。
「急に引っ越《こ》さなきゃならなくなったんだけど、どうしても金がなくて。」
こう持ちかけられたとき、「困《こま》ったときはお互《たが》いさまだ」って言って貸《か》したんだ。
オレの1か月分の給料とほぼ同じだから、決して少ない金額《きんがく》じゃないが。
いいカッコして「そんなに急いで返さなくてもいいよ」なんて言っちゃってさ。
借用書《しゃくようしょ》の返済《へんさい》の期限《きげん》はとっくに過《す》ぎてるんだが――まずいことに、その借用書《しゃくようしょ》をなくしちゃったんだ。

N《エヌ》にそれを明かしつつ催促《さいそく》したら、あいつは信じられないことを言い出した。

「え？　オレ、おまえに金なんか借りたことないよ。」

金を銀行振込《ふりこみ》にしていれば通帳に記録が残ったんだけど、現金《げんきん》を手渡《てわた》ししたから証拠《しょうこ》がない。頭にくるけど、オレもあまかったのは確《たし》かだ。


兄貴《あにき》に相談してみると、開口一番「借用書《しゃくようしょ》をなくすとかありえない」ときた。

「そりゃ、そうなんだけどさ……。」

「そんなヤツを信用したおまえも人を見る目がないね。まあ、貸《か》したお金なんてもどってこないと思った方がいいよ。」

今さら言われてもしょうがないアドバイスをされて、オレは口をとがらせた。

「でも、このまま泣き寝入《ねい》りしたくないんだ。なんかいい方法ないかな？　悪知恵《わるぢえ》が働く兄貴《あにき》を見こんで相談してるんだからさ。」

すると、兄貴《あにき》はニヤッと笑った。

「そうだな。借用書《しゃくようしょ》っていう『証拠《しょうこ》』をなくしたんなら――新しく『証拠《しょうこ》』を作る必要があるな。」

そして、兄貴《あにき》はオレに作戦を授《さず》けてくれたんだ。

後日、オレはN《エヌ》を喫茶店《きっさてん》に呼《よ》び出すと、まずは雑談《ざつだん》をした。そうしてN《エヌ》を油断《ゆだん》させておいてから、小型《こがた》の録音機をしのばせてこう切り出したんだ。

「なあ、N《エヌ》……催促《さいそく》はこれで最後にしたいからもう一度だけはっきり言うよ。よく聞いてくれ。2年前にオレが貸《か》した50万円を返してほしい。」

この面会の後、主人公はN《エヌ》に20万円を返してもらうことに成功した。主人公はなぜ「50万円を返してほしい」と言ったのだろうか。

解説《かいせつ》

人にお金を貸《か》す場合は、親しい間柄《あいだがら》でも借用書《しゃくようしょ》を作るのが鉄則《てっそく》。借用書《しゃくようしょ》は、貸《か》した人と借りた人の名前や住所、貸《か》した金額《きんがく》、返済《へんさい》の期日などを記すものだ。返そうとしないばかりかしらばっくれる相手を訴《うった》えることもできるが、証拠《しょうこ》がないと貸《か》した側は不利だ。だが、書類以外でも何か「証拠《しょうこ》」があればいい。主人公の兄は、ここに気づいたのである。

主人公が「50万円を返してほしい」と言うと、N《エヌ》は驚《おどろ》いて「50万円？ 20万円のまちがいだろう？」と言った。主人公はこの会話を録音しておいたのだ。これは十分な証拠《しょうこ》となる。N《エヌ》はとうとう敗北を認《みと》め、20万円を返したという。

逆《ぎゃく》に、借りる側の注意点を一つあげておこう。借りたお金を返したら、必ず借用《しゃくよう》書《しょ》を返してもらうこと。相手がそれを悪用して、再《ふたた》びお金の返済《へんさい》を迫《せま》る可能性《かのうせい》があるからだ。ともかく、お金の貸《か》し借りはトラブルのもと。たとえ少額《しょうがく》でもできるだけ貸《か》し借りはしないこと！

39

落ちていた封筒《ふうとう》

失敗↓なぜ？

S《エス》氏はホテルの部屋を出ると、キャリーカートを引きずってろうかを歩き出した。彼《かれ》は飲食チェーン店を経営《けいえい》する会社《かいしゃ》の社員である。定期的に各地の店舗《てんぽ》を回って、接客《せっきゃく》の指導《しどう》をするのも仕事のうちだ。

今日は出張《しゅっちょう》に出て3日目。2つの店舗《てんぽ》を回ったら、まっすぐ家に帰っていいことになっている。

S《エス》氏は腕時計《うでどけい》に目をやった。9時15分。

1軒目《けんめ》には10時半に行く約束なので、ホテルの食堂《しょくどう》で朝食をとる時間を計算に入れて、部屋を出てきたのである。

ふと、S《エス》氏はろうかの真ん中でピタリと足をとめた。

目の前に封筒《ふうとう》が落ちていたからである。

見える範囲《はんい》に人の姿《すがた》はない。S《エス》氏はサッと腰《こし》をかがめて封筒《ふうとう》を拾い上げる。

中をちらっと見ると……S《エス》氏は封筒《ふうとう》を折り曲げ、ジャケットのポケットにつっこんでいた。


宿泊代《しゅくはくだい》の支払《しはら》いをすませると、S《エス》氏は食堂《しょくどう》には寄《よ》らずにホテルを後にした。

だれかが追いかけてこないか、後ろを気にしながら早足で歩く。

ホテルからだいぶはなれた公園に入り、木かげのベンチに座《すわ》ったところでそっと封筒《ふうとう》を取り出す。中には1万円札が10枚《まい》入っていた。


午後6時。仕事を終え、新幹線《しんかんせん》で地元に帰ったS《エス》氏は、友人のT《ティー》氏と居酒屋《いざかや》で向かいあっていた。

S《エス》氏は、仕事の間もあの封筒《ふうとう》をどうするべきか考えていたが、結局ポケットに入れたまま帰ってきてしまったのだ。「だまって使ってしまおうか」とも思ったが、気持ちの踏《ふ》ん切りがつかなくなり、T《ティー》氏を呼《よ》び出したわけだ。

S《エス》氏は、楽天家のT《ティー》氏なら軽い調子で「ラッキーじゃん。その金で飲もうぜ！」などと言うだろうと想像《そうぞう》していたが、彼《かれ》の反応《はんのう》はまるでちがった。

T《ティー》氏は話を聞くなり、深刻《しんこく》な顔で声をひそめた。

「10万か……なんで持ってきちゃったんだよ？」

「いや……魔《ま》がさしたっていうか。つい、だれかに見られる前にと思って、とっさにポケットに入れちゃってさ。で、ホテルを出て確《たし》かめたら10万円も入ってるだろ？　それからホテルに返しに行くのは気まずいじゃないか。自分のものにしようとしたのがバレバレだろ？」

「交番に届《とど》けて、その辺の道ばたで拾ったって言っちゃえばよかったのに。」

「うーん、そうだよな……。気が動転してて思いつかなかったよ。」

T《ティー》氏は、ビールを一口飲んで言った。

「落とした人はとっくに気づいて、ホテルとか交番に届《とど》け出てるだろうな。」

「とんでもないことをやっちゃったな……。」

S《エス》氏は封筒《ふうとう》を捨《す》ててしまいたくなった。

「おまえが拾ったところが防犯《ぼうはん》カメラに映《うつ》った可能性《かのうせい》はないのか？」

「さあ……。映《うつ》ってたら、じかに電話がかかってくるんじゃないかな。ホテルの宿《しゅく》泊《はく》台帳に連絡《れんらく》先を書いてあるんだし。」

「ホテルが警察《けいさつ》に通報《つうほう》してたら、連絡《れんらく》は警察《けいさつ》からくるかもしれない。その前に届《とど》け出るんだよ。拾った人は落とし主から1割《わり》くらいお礼をもらえるはずだろ。今ならどろぼうからいい人になりかわって、しかも1万円もらえるチャンスだ！」

そう聞くと、S《エス》氏は単純《たんじゅん》にも気分が晴れ晴れとしてきた。

「よし、そうするよ。明日はちょうど休みだし。今晩《こんばん》、届《とど》け出が遅《おく》れた言い訳《わけ》をしっかり考えて、明日の朝交番に行くことにする！」

S《エス》氏が10万円の入った封筒《ふうとう》を持って、近くの警察署《けいさつしょ》に出頭したのは翌日《よくじつ》の午前10時過《す》ぎだった。

S《エス》氏はなるべく誠実《せいじつ》に見えるよう気を配りながら「ホテルをチェックアウトするついでに届《とど》けようとしたが、ちょうど仕事の電話がかかってきて話しこんでいるうちに外に出てしまった」「新幹線《しんかんせん》の時間がギリギリでホテルにもどる時間もなかった」と言い訳《わけ》をした。

警察官《けいさつかん》がホテルに連絡《れんらく》をとってみると、すでに落とし主は届《とど》け出ているという。

だが――S《エス》氏は結局、拾い主としてお礼をもらうことはなかったのである。

主人公は、結果的にきちんと落とし物を届《とど》けたのに、なぜ落とし主からお礼をもらえなかったのだろうか。

解説《かいせつ》

落とし物を拾ったら、すぐ交番へ。お店、駅などの場合は施設《しせつ》の管理者に届《とど》けなくてはならない。拾った人は、届《とど》け出ることで落とし物の価値《かち》の5〜20%《パーセント》のお礼（通常《つうじょう》は10％《パーセント》程度《ていど》が多い）を受け取る権利《けんり》がある。3か月たっても落とし主が現《あらわ》れなければ、拾った人が落とし物をまるまるもらうことができる。施設《しせつ》内で拾った場合は、施設《しせつ》の管理者と半分ずつになる。

ただし、お礼を受け取る権利《けんり》があるのは、施設《しせつ》内で拾った場合は24時間以内、路上で拾った場合は7日以内に届《とど》けた場合。S《エス》氏が警察《けいさつ》に行ったときには拾ってから24時間以上たっていたので、お礼をもらえる権利《けんり》は消滅《しょうめつ》していたのだ。そもそも拾ったものをずっと手元に置いていると、盗《ぬす》む意思があったと疑《うたが》われる。その期間の明確《めいかく》な線引きはないが、先に述《の》べたタイムリミットが目安になる。落とし物を自分のものにすると遺失物横領罪《いしつぶつおうりょうざい》、もしくは窃盗罪《せっとうざい》になるので、すみやかに交番に届《とど》けよう。

40

焼肉屋でばったり

飲酒→有罪《ゆうざい》？

「お、ヤマノじゃん。ぐうぜんだな。」

仕事帰りに一人で焼肉屋に入って、どこに座《すわ》ろうかキョロキョロとしてたら声をかけられた。大学のゼミ仲間だったカネダだった。

別に仲がいい方じゃなかったけど、卒業以来だったからなつかしくはある。近況《きんきょう》報告《ほうこく》しあうのもいいかなと思って、同じテーブルに座《すわ》ったんだが。

オレはすぐに、カネダが声をかけてきた理由を察した。ヤツは、ちょうど話し相手を求めていたんだ。カネダは怒涛《どとう》の勢《いきお》いで勤《つと》め先のグチをまくしたて始めた。登場人物が多いし、長い話になりそうだ。1杯《ぱい》だけ飲むか……。

「オレ、ビール頼《たの》んでいいかな？」

カネダはうなずいて、自分もビールを頼《たの》む。

ビールジョッキをカチッと合わせて――オレは、「早く切り上げたい」とにおわせるために「明日の朝、早いから1杯《ぱい》だけな」と言った。

すると、カネダのヤツはしれっと言ったんだ。

「オレも1杯《ぱい》だけにしとく。車で来てるからさ。」

「え！　車で来てるなら1杯《ぱい》でもダメだろ。それ、オレが飲むよ。」

だが、カネダはオレの言葉を無視《むし》して、ビールをグッとあおったんだ。

その後は2人ともウーロン茶を1杯《ぱい》ずつ飲んで、さっさと帰ることにしたんだけど。


店を出ると、雨が降《ふ》っていた。意外にもカネダが「送ってやるよ」なんて言うから、ありがたくヤツの車に乗りこんだんだが、車は早々《そうそう》に止められた。

まさかこんな雨の中、飲酒運転の取り締《し》まりに引っかかるとはね。

呼気検査《こきけんさ》で「酒気帯《しゅきお》び」と判定《はんてい》されたカネダは警察《けいさつ》で取り調べを受けることになった。なぜかオレもいっしょに行かなくてはならないらしい。早く帰りたいのに。

「だから飲むなって言っただろ。」

同類に思われたくないから警官《けいかん》に聞こえるように大きな声で言ったが、カネダはニヤニヤ笑って言い返す。

「何をえらそうに言ってんだよ。おまえだって同罪《どうざい》なんだからな。」

その言い方に腹《はら》が立って――オレは雨の中、駅の方に歩き出したが、警官《けいかん》に呼《よ》びもどされてしまった。最悪の一日だった。

カネダの「おまえだって同罪《どうざい》」という言葉は何を意味しているのだろう。主人公にも罪《つみ》があるのだろうか。

解説《かいせつ》

主人公は有罪《ゆうざい》。運転者が酒を飲んだことを知りながら、その車に乗ると「飲酒運転《いんしゅうんてん》同乗罪《どうじょうざい》」という罪《つみ》になる。本来は運転を止めなければいけなかったからだ。もし主人公が、カネダが酒を飲んでいることを知らずに同乗したのなら無罪《むざい》だが、一度は注意したにしてもいっしょにビールを飲んでいたのだから完全にアウト。

運転する人だけでなく、周囲《しゅうい》の人も同じように「飲酒運転はダメ」という自覚を強く持つ必要がある。同乗しなくても「運転することを知っていて酒をすすめた」「飲酒した人に車を貸《か》した」などの場合も罪《つみ》になる。

飲酒運転は「酒酔《さけよ》い運転（見るからに酔《よ》っている）」と、「酒気帯《しゅきお》び運転（呼気《こき》中から基準《きじゅん》以上のアルコール濃度《のうど》が検出《けんしゅつ》される）」の2種類。酒酔《さけよ》い運転の方が罰則《ばっそく》が重いが、酒気帯び運転もりっぱな法律違反《ほうりついはん》だ。免許《めんきょ》取り消し、一定期間の免許停止処分《めんきょていししょぶん》などに加え、懲役《ちょうえき》または罰金《ばっきん》という刑罰《けいばつ》を受ける。もし飲酒運転をしていて事故《じこ》を起こした場合は、刑罰《けいばつ》はさらに重くなる。

41

仲間割《わ》れの夜

喧嘩《けんか》↓有罪《ゆうざい》？

レストランでのライブ演奏《えんそう》が終わったあと、オレたちはすみの席で一杯《いっぱい》やるのが常《つね》だ。客にウケた日はカンパイをくり返し、できが悪いときは反省会。今日は後者の方だった。

リーダーのジンタはイライラした様子で、いきなりミツルに迫《せま》った。

「ミツルさぁ、1曲めのピアノソロ、なんだったの？　オレたちみたいなトリオバンドじゃ、ピアノがコケたら客はしらけるんだよ。あれでぶちこわしになったよな。」

オレは、ジンタの言い方にムカついたね。自分だってミスしたくせに、人に責任《せきにん》をなすりつけるなんて最低だ。穏《おだ》やかなミツルも気色《けしき》ばんでいる。

「は？　全部オレのせいだって言うのかよ⁉　おまえだってリーダーぶってるだけで、ドラムの腕《うで》はたいしたことねぇじゃねーか！」

「なんだって？　ザコのくせにふざけんな！」

ジンタが立ち上がると、ミツルも立ち上がる。

ジンタはミツルの胸《むな》ぐらをつかみ、床《ゆか》につき倒《たお》した。

オレは頭にカッと血が上った。

「ミツル、やってやれ！」

オレがどなると同時にミツルは起き上がり、すごい勢《いきお》いでジンタになぐりかかっていった。それからあとはメチャクチャだ。ジンタがけり飛ばしたテーブルをオレはサッとかわす。テーブルが壁《かべ》にぶつかって穴《あな》が開く。

オレはミツルの背後《はいご》に回り、せっせと「そこだ、パンチを入れろ！」と声援《せいえん》を送り続ける。ジンタは顔面にパンチをくらってひっくり返った。前歯が折れている。

そのとき――。

「やめなさい！」

大声にふり向くと、遠巻《とおま》きにオレたちを見ている店員や客たちの間から警察官《けいさつかん》が歩み寄《よ》ってきたんだ。ヤバい！

「ただの内輪もめなんで！　なんでもありませんから……帰ってください！」

オレは警察官《けいさつかん》の前に立ちはだかり、通すまいとして両肩《りょうかた》をつかんだ。

すると、警察官《けいさつかん》は言ったんだ。

「これ以上、罪状《ざいじょう》が増《ふ》えるようなことはしない方がいいよ。」

え、「これ以上」？　その言葉が気になり、オレは手を引っこめたのだ。

仲間うちのケンカのようだが、3人はさまざまな罪《つみ》で逮捕《たいほ》されてしまった。どんな罪《つみ》が考えられるだろうか。

解説《かいせつ》

「ケンカ両成敗《りょうせいばい》」という言葉があるように、2人とも暴力《ぼうりょく》をふるった場合は、どっちが先に手を出したかは関係なく、どちらも「暴行罪《ぼうこうざい》」となる。全治数日程度《ていど》のケガならば「暴行罪《ぼうこうざい》」として処理《しょり》されるが、相手にケガを負わせた場合は「傷害罪《しょうがいざい》」も適用《てきよう》される。また、ジンタは店の壁《かべ》に穴《あな》を開けてしまったが、これは「器物損壊《そんかい》罪《ざい》」である。主人公はケンカに参加していないが、ミツルに「やってやれ」と言うなど、盛《さか》んにケンカをあおっている。これはりっぱな「現場助勢罪《げんばじょせいざい》」という罪《つみ》に当たる。さらに、主人公のように「帰ってください」などと、警察官《けいさつかん》の仕事をジャマすると「公務執行妨害《こうむしっこうぼうがい》」まで成立しかねない。

ケンカがその場でおさまれば、（特に知り合い同士《どうし》の場合は）逮捕《たいほ》には至《いた》らないことも多いが、ケースによって異《こと》なる。たかが友だち同士《どうし》のケンカでも、思わぬ大事件《じけん》となってしまうことがあるのだ。つまらないことで「前科者《ぜんかもの》」にならないよう気をつけよう。

42

異《い》文《ぶん》化《か》コミュニケーション

友好→有罪《ゆうざい》？

ピンポーン！

インターホンの音に、ぼくらは顔を見合わせた。少しうるさくしすぎたかな。

ここはメキシコの安ホテルの一室だ。

大学の友だち3人で旅行にやって来た最初の夜。テレビでメキシコ代表チームのサッカーの試合がやってたんで、盛《も》り上がっちゃってさ。

おそるおそるドアを開けると、そこにいたのはやはりホテルのスタッフだ。

さっきフロントにいたリカルドという男が、ふきげんそうに顔をしかめている。

「となりの部屋の人からうるさいって文句《もんく》を言われたよ。このホテルの壁《かべ》はうすいんだ。気をつけてくれ。」

「ごめん。メキシコ代表チームの大ファンなんで、つい興奮《こうふん》しちゃってさ。迷惑《めいわく》をかけたおわびにメシでもおごるよ。仕事が終わったらいっしょにどうだい？」

ぼくはコミュニケーション能力《のうりょく》を発揮《はっき》して、親しげにリカルドに話しかけた。

こういうときこそ、現地《げんち》の人と仲よくなるチャンスなんだ。リカルドは見たところ若《わか》そうだし、友だちになれるかもしれない。

「ぼくはいろんな国を旅して回るのが趣味《しゅみ》なんだけど、メキシコは最高だね。」

「調子いいな。」

「本当さ。証拠《しょうこ》を見せてやるよ。」

メキシコ人と仲よくなるためにしこんできたものが、早くも役に立つとはね。

ぼくはシャツの前ボタンを開けた。下に着ているT《ティー》シャツにはメキシコの国旗がプリントされているんだ。

思った通り、リカルドは顔をぐっと前につき出した。

「そのT《ティー》シャツ、どこで買ったんだ？」

「買ったんじゃないよ。自分でプリントしたオリジナルさ。」

「そうか。今すぐ、それをぬげ。」

ちょっと迷《まよ》ったが――まあ友好の証《あかし》としてプレゼントしてもいいか。

しかし、リカルドはT《ティー》シャツを受け取るとうれしそうな顔ひとつせず、「見逃《みのが》してやるからさっさと寝《ね》ろ」と言ったんだ。

リカルドはぶっきらぼうだけどいいヤツだ。彼《かれ》に会わなければ、やっかいなことになっていたかもしれない。


主人公が着ていたT《ティー》シャツには問題があった。リカルドがT《ティー》シャツをぬがせたわけを想像《そうぞう》してみてほしい。

解《かい》説《せつ》

メキシコでは自国の国旗を神聖《しんせい》なものとして、とてもていねいにあつかっている。国旗をグッズなどのデザインに使うには許可《きょか》が必要。軽々《かるがる》しくデザインに使うことはひかえており、国の代表チームのユニフォームにさえ国旗を用いることは少ない。

というわけで、無許可《むきょか》の国旗のT《ティー》シャツを着るのは法律違反《ほうりついはん》なのだ。勝手に国旗のT《ティー》シャツを作った場合は罰金《ばっきん》や拘留《こうりゅう》の罪《つみ》が科《か》される。大事なシンボルを、適当《てきとう》にプリントして身につけることは国自体を侮辱《ぶじょく》しているとみなされるのだ。そこで、リカルドは他の人の目にふれる前にT《ティー》シャツを没収《ぼっしゅう》したのである。

メキシコでは国歌も同じように神聖視《しんせいし》されている。セレモニーの場で国歌を歌った歌手が、歌詞《かし》をまちがえたために罰金《ばっきん》を取られた前例もある。

43

意外な質問《しつもん》

違反《いはん》→罰金《ばっきん》？


「マモル・サタケさんですね。この道の法定速度時速は40キロ。あなたの車のスピードは70キロ以上出ていましたね。」

「その通りです。申し訳《わけ》ありません。」

オレは頭をかいた。

フィンランドの一流企業《きぎょう》に招《まね》かれ、移住《いじゅう》して1年。力を注いできたプロジェクトの仕事が無事に完了《かんりょう》したので、思いきって前からあこがれていたポルシェを購入《こうにゅう》したのは先月のことだ。

せっかくピカピカの新車があるのに、家と職場《しょくば》の往復《おうふく》ぐらいしかしていなかったんで、今日は思う存分《ぞんぶん》ドライブを楽しもうと思っていたんだ。

1000万円と高い買い物だったが、さすがに乗り心地は最高だ。

ハンドルをにぎると、なんともいえない快感《かいかん》がわき上がった。

広い一本道を走る心地よさといったら！

お気に入りのロックをかけながら走っているうちに、すっかり気分がよくなって——気がついたら制限《せいげん》速度をオーバーしていた。

正直なところ、「こんなにすいてる道なんだからちょっとくらいスピードを出してもいいだろう」という気のゆるみがあったのは確《たし》かだ。

オレは運転免許証《うんてんめんきょしょう》を警察官《けいさつかん》にわたし、それから財布《さいふ》を取り出した。

今日はあまり現金《げんきん》の持ち合わせがない。

「罰金《ばっきん》はクレジットカードでも払《はら》えるんでしたっけ？」

こう聞くと、警察官《けいさつかん》は微妙《びみょう》な笑いを浮《う》かべた。

「今日は払《はら》っていただくことはないですよ。後から請求《せいきゅう》しますので。」

「ああ、そういう仕組みなんですね。」

ホッとして財布《さいふ》をしまうと、警察官《けいさつかん》は意外な質問《しつもん》をしたのだ。

「サタケさん、あなたの年収《ねんしゅう》はいくらですか？」


警察官《けいさつかん》がスピード違反《いはん》を犯《おか》した主人公に年収《ねんしゅう》をたずねたのはなぜだろうか。

解《かい》説《せつ》

　フィンランドでは、法律違反《ほうりついはん》の罰金《ばっきん》の金額《きんがく》は、その人の年収《ねんしゅう》によって変わるからだ。「収入《しゅうにゅう》の多い人ほど、社会のルールを守る意識《いしき》を高く持ち、責任《せきにん》を取るべき」という考え方にもとづいている。スピード違反《いはん》の場合、法定速度12～20キロ超《こ》えまでは、年収《ねんしゅう》にかぎらず罰金額《ばっきんがく》は一律《いちりつ》で2万2000～2万6000円くらい。だが、20キロ以上超《こ》えると、罰金《ばっきん》は「1日の平均収入《へいきんしゅうにゅう》」をもとに計算される。かせぎが多いほど罰金《ばっきん》が高くなるわけだ。養っている家族がいる場合は多少安くなる。

　サタケは独身《どくしん》なのでますます不利になった。彼《かれ》の年収《ねんしゅう》は2000万円。1日の平《へい》均収入《きんしゅうにゅう》・約55000円×18日分（30キロオーバーの場合の罰金《ばっきん》日数）で、約99万円の罰金《ばっきん》を払《はら》うことになってしまった。ちなみに、これまでに制限速度《せいげんそくど》の47キロ超《ご》えで2400万円の罰金《ばっきん》を払《はら》ったケースもあるそうだ。大金持ちでも、さすがにこれだけ罰金《ばっきん》を取られれば深く反省するだろう。

44 セイラム村の魔《ま》女《じょ》裁《さい》判《ばん》

容《よう》疑《ぎ》↓なぜ？

ときは1692年、アメリカ、マサチューセッツ州のセイラム村にて。

「『悪《あく》魔《ま》つき』だって？　うちの娘《むすめ》が？」

パリス牧《ぼく》師《し》は、医《い》師《し》の顔を穴《あな》の開くほど見つめた。

「診《しん》断《だん》の結果、ベティさんの体に異《い》常《じょう》は認《みと》められませんでした。となると、悪《あく》魔《ま》にとりつかれたとしか考えられないのです。」

9歳《さい》のベティが、ちょっとした好《こう》奇《き》心《しん》から降《こう》霊《れい》会《かい》に参加したのは先週のこと。降《こう》霊《れい》会《かい》とは、死んだ人の霊《れい》を呼《よ》び出す秘《ひ》密《みつ》の儀《ぎ》式《しき》である。その最中、ベティといとこのアビゲイルは部屋をはい回ったりあばれたり、奇妙《きみょう》な行動をとったのだ。それが「悪魔《あくま》にとりつかれたせい」と診断《しんだん》されたのである。

「ベティ、何か悪魔《あくま》にとりつかれるようなことをしたのか？」

パリス牧師《ぼくし》に問いただされたベティは、困《こま》ってしまった。降霊会《こうれいかい》が「悪魔《あくま》つき」の原因《げんいん》だと思われたくなかったのだ。

そして、ベティは家の使用人の女性《じょせい》に罪《つみ》をなすりつけることを思いついた。

「降霊会《こうれいかい》は関係ないと思うわ。その前にティトゥバがあたしたちに魔術《まじゅつ》を見せたの。きっとそのせいかもしれないわ。」

「なんだと。ティトゥバのせいだったのか！」

ティトゥバは南アフリカから連れてこられたどれいの女性《じょせい》だ。ベティは子どもながらに、弱い立場の人に罪《つみ》を着せるのはかんたんだと知っていたのである。

パリス牧師《ぼくし》はすぐにティトゥバを告発《こくはつ》し、彼女《かのじょ》は裁判《さいばん》にかけられることになった。

「とんでもない。あたしはお嬢様《じょうさま》に魔術《まじゅつ》を見せたりなんかしてませんよ。だいたい魔術《まじゅつ》なんて使えないんだから。」

当初、ティトゥバはそう言っていたのだが、きびしく追及《ついきゅう》され、拷問《ごうもん》を受けるうちに態度《たいど》を変えた。「悪魔《あくま》に命令され、魔術《まじゅつ》を行なった」と認《みと》めたのである。

この魔女裁判《まじょさいばん》では「わたしは魔女《まじょ》だ」と認《みと》めれば、悪魔《あくま》の支配《しはい》から逃《のが》れたと考えられて死刑《しけい》をまぬがれた。逆《ぎゃく》にいつまでも魔女《まじょ》だと認《みと》めないと、悪魔《あくま》にコントロールされたままだとみなされた。

ティトゥバは裁判官《さいばんかん》に求められるままにほかの女性《じょせい》の名前をあげ、「自分はあの魔女《まじょ》たちに支配《しはい》されていた」と語ったのである。

こうして、セイラム村の魔女狩《まじょが》りがスタートした。

「わたしは魔女《まじょ》です」と認《みと》めて釈放《しゃくほう》された者たちはティトゥバと同じく、ほかの人を「あの人も魔女《まじょ》だ」と告発《こくはつ》した。「魔女《まじょ》」も「魔女《まじょ》」の容疑者《ようぎしゃ》もどんどん増《ふ》えていく。

ベティといっしょに降霊会《こうれいかい》に参加していた友人たちも、次々《つぎつぎ》に「魔女《まじょ》」を名指しした。村の有力者のある娘《むすめ》などはまだ12歳《さい》だったが、62人もの名前をあげ、裁判《さいばん》でも堂々《どうどう》と証言《しょうげん》してみせたりした。

こうなると、だれが魔女呼《まじょよ》ばわりされてもおかしくない。

村人たちは自分の身を守るため、「あの人はネコをたくさん飼《か》っている。ネコたちは魔女《まじょ》の使い魔《ま》だ」とか「あいつには悪魔《あくま》の印のホクロがある」などと言っては、隣人《りんじん》をつき出したのである。

村人たちは監視《かんし》しあい、自分が疑《うたが》われていないかビクビクしてすごした。少女たちだけは、騒然《そうぜん》とした空気をどこか楽しんでいるようにも見えたけれど。

いつのまにか魔女《まじょ》として告発《こくはつ》された村人は200人ほどにのぼっていた。19人が死刑《しけい》にされ、1人が拷問《ごうもん》中に、5人が獄中《ごくちゅう》で亡《な》くなっていた。

「この状況《じょうきょう》は異常《いじょう》だ。魔女裁判《まじょさいばん》は今日をもってすべて停止《ていし》せよ!」

知事が魔女《まじょ》の疑《うたが》いでとらわれている者たちを全員釈放《しゃくほう》したのは、騒動《そうどう》が始まってから1年2か月後のことだった。

「やっと終わったんだね。」

村の人々《ひとびと》は久《ひさ》しぶりにホッとした顔で語りあった。

「でも、知事の一声でカタがつくんなら、もっと早く魔女裁判《まじょさいばん》を停止《ていし》する命令を出しゃよかったのに。」

「ふん。知事なんて結局、自分のことしか考えてないのさ。」

だれかがこう言うと、みんなは深々《ふかぶか》とうなずいたのである。

知事が魔女裁判《まじょさいばん》を停止《ていし》する決断《けつだん》を下した理由は何だったのだろうか。

解《かい》説《せつ》

多くの無実の被害者《ひがいしゃ》を出しながら、知事は1年2か月も事態《じたい》を放置していた。知事がようやく「魔女裁判《まじょさいばん》を停止《ていし》せよ」との命令を出したのは、彼《かれ》の妻《つま》が魔女《まじょ》だと名指しされたためだったのだ。

これは事実をもとにした話。「セイラム魔女裁判《まじょさいばん》」と呼《よ》ばれるこの事件《じけん》は、中世ヨーロッパで発生した「魔女狩《まじょが》り」がアメリカに飛び火して起こったと考えられている。魔女狩《まじょが》りは、「魔女《まじょ》」の疑《うたが》いをかけられた人（男性《だんせい》もふくむ）を迫害《はくがい》する行為《こうい》。農作物の不作や自然災害《さいがい》など社会に不安があるとき、「魔女《まじょ》が呪術《じゅじゅつ》を行なったせい」にして処刑《しょけい》し、うっぷんを晴らしていたのである。自分がターゲットになる前に他人をつき出す悪循環《あくじゅんかん》は「いじめ」の構図《こうず》そのもの。裁判《さいばん》というシステムはあっても真実を検証《けんしょう》する姿勢《しせい》に欠けていた時代の悲劇《ひげき》だ。ちなみに多くの密告《みっこく》をした少女が「大人がさわぐのがおもしろくて、遊び半分でやっていた」と話したというエピソードも語り伝えられている。

45

消えた宝物《たからもの》

処分《しょぶん》↓有罪《ゆうざい》？

「へえ、なんかずいぶんスッキリしてオシャレになったじゃない。」

大学1年の夏休み。この春から大学の寮《りょう》で暮《く》らしているあたしにとっては、これが初めての帰省だ。なつかしの我が家《わやが》に久《ひさ》しぶりに帰ると、だいぶリビングの様子が変わっていて、あたしはちょっと驚《おどろ》いたのだ。

「前から模様《もよう》がえしたかったから、思いきってやったの。」

たなには、お母さんが近所の陶芸家《とうげいか》の人に習って作ったという焼き物の器が、美術館《びじゅつかん》のように整然と並《なら》べてある。

（あれ、でも……。）

あたしは部屋を見回した。

「ねえ、ここにあった、あたしのマンガはどこにやったの？」

「あれなら古本屋に売ったわよ。ずっとじゃまだと思ってたのよ。」

「え……ウソでしょ⁉　人の宝物《たからもの》を勝手に売っちゃうなんてありえないよ！」

ひどい。あたしは中学、高校とずいぶんマンガにハマってた。おこづかいやバイト代を費《つい》やして買いためたものなのに。自分の小さな部屋には置ききれなくてリビングに並《なら》べたら、お母さんやお父さんもいっしょになって読んでたじゃない。

「宝物《たからもの》？　あなた、寮《りょう》に持って行かなかったし、もうそんなに興味《きょうみ》ないのかと思った。それに、別に貴重《きちょう》なマンガってわけじゃないでしょ。読みたかったらまた買えばいいじゃない。」

「そういう問題じゃないもん。」

話が全然通じなくてムカつく。

今日はどれを買おうか悩《なや》みながら選んだり。

発売日を楽しみにして本屋さんに行ったりさ。

一冊一冊《いっさついっさつ》に、思い出がしみこんでるのに。

いくら親だからって、子どもの持ち物を勝手に処分《しょぶん》していいわけないでしょ。

あたしは階段《かいだん》をふみ鳴らして自分の部屋に行く。

「訴《うった》えてやる！」

とりあえずあたしは何がなくなっているのかをけん命に思い出し、メモに書き上げ始めた。


主人公は買い集めたマンガの本を、何の相談もなく処分《しょぶん》されてしまった。このお母さんは有罪《ゆうざい》か。それとも無罪《むざい》だろうか。

解説《かいせつ》

お母さんは無罪《むざい》。家族の所持品を勝手に処分《しょぶん》することが違法《いほう》かどうかは、その物が「特有財産《とくゆうざいさん》（完全に個人《こじん》の財産《ざいさん》で買った持ち物）」か、「共有財産《きょうゆうざいさん》（家族の持ち物）」かで変わってくる。共有財産《きょうゆうざいさん》なら、親にも権利《けんり》があるので処分《しょぶん》しても違法《いほう》にならない。主人公のマンガは、自分のバイト代だけではなく親からもらったおこづかいで買ったものもある。また家族の共有スペースに置いてあったことからも「特有財《とくゆうざい》産《さん》」とは言いきれない。

もし、主人公がお母さんに「マンガを保管《ほかん》してね」と頼《たの》んであったのに処分《しょぶん》されてしまった場合は「横領罪《おうりょうざい》」が成立する可能性《かのうせい》もある。ただし、法律《ほうりつ》では「家族の間の横領罪《おうりょうざい》は免除《めんじょ》する」としているので、結果的には無罪《むざい》になる。このようなケースで家族どうしで裁判《さいばん》をしたり、損害賠償金《そんがいばいしょうきん》を請求《せいきゅう》するのは現実的《げんじつてき》ではないからだ。家庭内のトラブルは、話し合って解決《かいけつ》すべし。主人公はお母さんと話し合い、少々《しょうしょう》おこづかいをもらって仲直りしたという。

46

自然に還《かえ》る

散骨《さんこつ》↓有罪《ゆうざい》？

黒いフレームの額《がく》に収《おさ》まった親父は、船長の帽子《ぼうし》をかぶって満面の笑顔だ。親父が気に入っていた写真で、生前から「これを遺影《いえい》にしてくれ」って言われてたんだよな。海が好きな親父が、豪華客船《ごうかきゃくせん》の船長に帽子《ぼうし》を借りて撮《と》ったものなんだ。

それにしても、葬儀《そうぎ》について親父の注文の多かったこと。無宗教《むしゅうきょう》の形式で、なるべくかた苦しくない雰囲気《ふんいき》に。葬儀場《そうぎじょう》では、親父の好きな歌手の曲を流し続ける。それからお棺《かん》に入るときの服装《ふくそう》や、香典《こうでん》返しの品にいたるまで細かく指定していたんだ。まあ、お葬式《そうしき》って決めなきゃならないことが多いから、指定してもらった方が楽だったかもな。

母さんはすでに亡《な》くなっていたから、姉ちゃんに手伝ってもらいながら、長男のオレが喪主《もしゅ》を務《つと》めた。お葬式《そうしき》っていうのはやることが多くてたいへんだ。

そして、今日──親父が死んでから四十九日目の法要を無事に終え、オレは少しホッとしていた。

「シュンちゃん、お疲《つか》れさま。」

「姉ちゃんもお疲《つか》れ！　あと一息だな。」

ふつうはこの後、お墓《はか》に遺骨《いこつ》を納《おさ》めるんだが。

これについても親父はしっかり遺言《ゆいごん》をのこしていた。

「オレの遺骨《いこつ》は墓《はか》に納《おさ》めないでくれ。死んだら自然に還《かえ》りたい。それがオレの希望だ。なんならその辺にまいてくれればいいよ。」

いくらなんでもその辺に捨《す》てるわけにはいかない。そうしたら、親父の海釣《うみづ》り仲間の一人が「海に散骨《さんこつ》するのがいいんじゃないか？」と提案《ていあん》して──それを採用《さいよう》することになったんだ。

「海に散骨《さんこつ》する場合、父がよく釣《つ》りをしてた辺りにまいていいんですかね？」

葬儀社《そうぎしゃ》の人に聞いてみると、どこでもいいわけじゃないらしい。

「海水浴とか漁をする人がいる辺りに遺骨《いこつ》をまいたら、周囲《しゅうい》の人はいい気持ちはしないでしょう？『あそこの海岸に遺骨《いこつ》をまいていた』とうわさになって、だれかに迷惑《めいわく》がかかれば慰謝料《いしゃりょう》を請求《せいきゅう》される可能性《かのうせい》もあります。」

言われてみれば、そうだよなぁ。

岸からかなり遠くにまく必要があるというから、自力でやるのは無理そうだ。

結局は葬儀社《そうぎしゃ》の人が、海で散骨《さんこつ》するための専門《せんもん》の業者を手配してくれた。

散骨《さんこつ》セレモニーに参加してくれた親父の友人たちに、オレは遺骨《いこつ》をくるんだ紙の包みをひとつずつ配った。

「みなさんも、ぜひお願いします。」

岸から遠くはなれた青い海に、船の上から遺骨《いこつ》をサラサラとまく。

そうそう、遺骨《いこつ》はあらかじめくだいて粉末状《ふんまつじょう》にしてある。

焼いた骨《ほね》とはいえ、万が一、骨《ほね》だとわかる形でどこかの浜《はま》に流れ着いたり、だれかが見つけたりしたら、死体遺棄事件《したいいきじけん》とかんちがいされる可能性《かのうせい》があるんだって。

「きっとあいつも喜《よろこ》んでくれてると思うよ。」

みんながそう言ってニコニコしながら帰っていったので、やってよかったなあと思ったんだ。


ところが、その帰り道。

オレは紙包みがひとつ残っているのに気づいたんだ。

「一個《こ》残ってた。これ、どうしよう。」

ほんのひとつまみ程度《ていど》とはいえ、遺骨《いこつ》は遺骨《いこつ》だ。

姉ちゃんは困《こま》った顔をする。

「そうねぇ、捨《す》てるわけにもいかないし……。あ、それならさ、うちの庭にうめるのは？」

姉ちゃんが住んでいるのは、かつて親父が建てた家。土地も自分の持ち物だから、かまわないだろう。

「それなら親父の『自然に還《かえ》りたい』っていう希望にも背《そむ》くことにならないしな。」

これで一件《けん》落着と思ったんだが。

会話を聞いていた葬儀社《そうぎしゃ》の人が、こう言ったんだ。

「遺骨《いこつ》を庭にうめるのはダメですよ！　でも……庭にまくのはアリです。」

オレと姉ちゃんは顔を見合わせた。

庭にうめるのはダメで、まくのはOK《オーケー》？　逆《ぎゃく》ならわかるけど。


葬儀社《そうぎしゃ》の人は「遺骨《いこつ》を庭にうめるのはダメ。まくのはかまわない」と言う。本当だろうか。

解《かい》説《せつ》

本当。法律《ほうりつ》で「遺骨《いこつ》は墓地《ぼち》以外にはうめてはいけない」と決まっている。それ以外のところにうめた場合は法律違反《ほうりついはん》で処罰《しょばつ》される。たとえ自分の持っている土地であってもアウトだ。だが、土の中にうめずに「まく」のならセーフ。海に散骨《さんこつ》するのと同じ「自然葬《しぜんそう》」に当たるためだ。ただし、周囲《しゅうい》の人への気づかいは必要だ。海については、話の中で紹介《しょうかい》した通り。どこならまいていいのか調べるより、業者を頼《たよ》る方がまちがいない。川や湖など、水源《すいげん》になりうるところに散骨《さんこつ》するのはダメ。陸地の場合、「うめずにまく」としても他人の所有地はダメ。山なら、管理者の許可《きょか》が必要。自分が所有する山であっても、近くに水源《すいげん》となる川がある場所はダメだ。また、遺骨《いこつ》をゴミとして捨《す》てたり放置すると「遺骨遺棄罪《いこついきざい》」になる。慣習的《かんしゅうてき》には墓地《ぼち》にうめるのが一般的《いっぱんてき》なので、散骨《さんこつ》を行う場合は「不快《ふかい》に感じる人がいないように節度を持って行う」こと。自治体によっては禁止《きんし》しているところもあるので確認《かくにん》が必要だ。

47

さようならミドリちゃん

カメ↓放流？

その本との出会いはまさに運命的だった。

図書室のおすすめコーナーに並《なら》んでいた『はるかなるわがラスカル』っていう本をなんとなく手に取って。読み始めたら、すぐに物語に引きこまれちゃった。

スターリングっていう動物好きの男の子がアライグマの赤ちゃんを拾って、ラスカルと名づけて育てていく話なんだけどね。

アメリカ人の作者が少年時代のことを回想した、ほぼ実話らしい。

ラスカルはやんちゃな子で、近くの畑を荒《あ》らしちゃったり、育てていくなかでは苦労も多い。でも、主人公は一生けん命に育てるっていうか、ラスカルのことを親友みたいに思ってて――その気持ちがよく伝わってくる。

だけど、スターリングは遠くの学校の寄宿舎《きしゅくしゃ》に入ることになって、ラスカルを飼《か》えなくなっちゃうの。それで、スターリングはラスカルを自然に帰すんだ。

涙《なみだ》なくしては読めなかった。

だって今、あたしはまったく同じ問題に直面してるんだもの。

あたしが近所の川から小さなミドリガメを連れて帰ったのは8年前――7歳《さい》の夏だった。名前はミドリ。

うちの両親はカメが好きじゃなくて、まったく歓迎《かんげい》されなかったけど。「絶対《ぜったい》に自分でちゃんと世話するから」って約束して、飼《か》うのを許《ゆる》してもらったんだ。

そのときは、まさか8年後に家をはなれる可能性《かのうせい》があるなんて思いもしなかったもの。

今、あたしが目指してるA《エー》学園っていう高校は全寮制《ぜんりょうせい》なんだ。この高校にあこがれて……いつのまにか大きな目標になってて。

だけど、寮《りょう》にミドリは連れていけない。

パパもママも、あたしがA《エー》学園を目指すことには賛成《さんせい》してくれてる。

でも、あたしがいなくなって、パパたちがミドリの世話をしてくれるかどうかは、まだ話し合ってないんだ。

そんな今、この本を読んで――あたしは新しい選択肢《せんたくし》に出会ったわけ。

そういえばミドリはずいぶん大きくなって、水そうがきゅうくつそうなのが前から気になってた。もっと大きい水そうを置く場所はないから、そのままにしてたけど。

もしかしたら、ミドリをもといた場所に帰すべきなのかも。

自然の中でのびのび、仲間といっしょに暮《く》らすほうがミドリにとって幸せなのかもしれない。

次の日。

心を決めてミドリの故郷《こきょう》の川にやって来たけど、あたしはなかなかミドリと別れられなかった。

ごめんね、ミドリ。元気で暮《く》らすんだよ。

はなれるのはつらいけど……この川に来たら、また会えるよね。

そう声をかけたら、ミドリは頭をもたげた。

まん丸の黒い目であたしを見てる。

スターリングとラスカルの別れのシーンが思い浮《う》かび、涙《なみだ》がポトリと落ちる。

キラキラと夏の日差しを受けて輝《かがや》く川のせせらぎが、かすんで見える。

あたしはミドリの甲羅《こうら》を、そっとなでた。

そして、ミドリを川に放そうとしたとき。

「そのカメ、どうするんですか？」

声をかけられてふり向くと、そこにいたのはおまわりさんだった。

あのタイミングで現《あらわ》れたおまわりさんは「救世主《きゅうせいしゅ》」だった。

その日、あたしはミドリといっしょに家に帰った。
パパとママにミドリの世話を真剣《しんけん》にお願いしてみよう、と考えながら。

主人公はミドリを川に帰さずに連れて帰った。主人公が警察《けいさつ》官《かん》を「救世主《きゅうせいしゅ》」と言ったのはどういう意味なのだろうか。

解《かい》説《せつ》

ミドリガメという名で知られるアカミミガメは、北アメリカ原産の外来種だ。1950年代にペットとして輸入《ゆにゅう》されて以降《いこう》、飼《か》われていたものが逃《に》げたり放されたりして増《ふ》えすぎてしまい、生態系《せいたいけい》や農業に深刻《しんこく》な被害《ひがい》を及《およ》ぼしている。

そのため、現在《げんざい》では個人《こじん》で飼《か》うことは認《みと》められるものの、販売《はんばい》（および販売《はんばい》するための飼育《しいく》）、人にゆずること、自然に放つことは法律《ほうりつ》で禁止《きんし》されている。

主人公はおまわりさんに注意されて踏《ふ》みとどまったが、もし川に放していれば罰《ばっ》金《きん》を科《か》されただろう。罰則《ばっそく》は300万円以下の罰金《ばっきん》か3年以下の懲役《ちょうえき》とされている。ちなみに、長い間人に飼《か》われていた動物を自然に帰しても、うまく適応《てきおう》して生きていけるとはかぎらない。主人公は両親の理解《りかい》を得《え》て、高校の3年間、ミドリの世話をしてもらえることになった。ミドリガメの寿命《じゅみょう》は30～40年といわれる。動物を飼《か》うときには、最後まで世話をする覚悟《かくご》を持つこと。動物について、よく調べることが必要だ。

48

不思議研究会VS《バーサス》マジメなじいさん

失敗→なぜ？

宇宙人《うちゅうじん》やUFO《ユーフォー》、心霊現象《しんれいげんしょう》や超能力《ちょうのうりょく》などを愛好する同志《どうし》であるオレとケンゴ、ヨウスケが「不思議研究会」を結成したのは中学生のときだ。

この近くの「UFO《ユーフォー》の名所」に来るついでにヨウスケの親せきのおじさんの家に泊《と》めてもらって以来、毎年この家で合宿をするようになった。

今年はおじさんたちが急に留守《るす》にすることになり——オレたちは幸運にも、大人の監督《かんとく》なしに自由に過《す》ごせることになったんだ！

「子どもだけでだいじょうぶかな」と、おじさんたちは心配していたらしいが、なにしろもう高校生だ。結局、オレたちだけで「合宿」をやれることになった。

だが、おじさんたちは出発する前に、となりのヤマムラさんに「ときどき様子を見てやってください」と声をかけていったのだ。

ヤマムラさんが、それを真に受けたからたまらない。

このじいさんは、元警察官《もとけいさつかん》だったという。

会った瞬間《しゅんかん》、正義感《せいぎかん》と責任感《せきにんかん》が強い人だとわかったよね。

「キミたち、夏休みでほかにだれもいないからって不良みたいなことをしちゃダメだよ。規則《きそく》正しく過《す》ごすようにね」と言われたとき、イヤな予感がしたんだよなぁ。

それにしても、ここまでおせっかいなじいさんだとは。

朝早くからたたき起こされてラジオ体操《たいそう》につきあわされるとは想像《そうぞう》を超《こ》えていた。日に何度も訪《たず》ねてきてはテーブルの上を見て「お菓子《かし》の食べすぎだ」と注意してきたり、『徹底検証《てっていけんしょう》！　宇宙人《うちゅうじん》の謎《なぞ》』のＤ《ディー》Ｖ《ブイ》Ｄ《ディー》を鑑賞《かんしょう》していると「エッチなビデオを見てるんじゃないだろうね」と言ってきたり。

やんわりと「そんなにちょくちょくのぞきに来ないでほしい」と伝えようとしても、「オレはキミたちのことを頼《たの》まれたんだから」と、鼻息は荒《あら》くなる一方だ。

そんな中、どうにかオレたちの同人誌《どうじんし》を完成させるという、合宿の目的を果たして——。打ち上げをかねて、オレたちはあるイタズラを計画していた。

オレたちが何かやらかすと疑《うたが》ってかかってるヤマムラさんに、ちょっとした「ドッキリ」をしかけてやろうと思ったんだ。

夕飯をすますと、オレたちは庭に出た。

ヨウスケが持ってきたスーパーの袋《ふくろ》の中には花火と、ノンアルコールの缶《かん》ビール。

これが今夜の打ち上げの主役だ。

「ヨウスケならホントの酒でも買えたんじゃね？」

「かもな。」

ヨウスケは背《せ》が高くてしかも太っている。マスクをしてると、中年のオッサンみたいに見えるんだ。

計画っていうのはこうだ。オレたちが花火を始めたら、ヤマムラさんは当然のように様子を見に出てくるだろう。で、オレたちが酒を飲んでいるとかんちがいして、めちゃくちゃ激怒《げきど》するはず。そこで「残念でした〜！　これはノンアルコール飲料で〜す！」と、ヤマムラさんを笑ってやるんだ。

オレたちはプシュッと缶《かん》を開けてカンパイした。

うへっ、苦い。ノンアルコールビールってあんまりうまいもんじゃないな。本物のビールならもっとうまいのかな？

花火を始めると、すぐにヤマムラさんが家から飛び出してきて、コトはシナリオ通りに運んだんだが。

「残念でした〜！　これはノンアルコール飲料で〜す！」

と言うと、ヤマムラさんは苦笑いしている。

「あのなぁ。キミたち、知らないのか？　アルコール0%《パーセント》のノンアルコール飲料でも、未成年は飲んじゃいけないんだぞ。」

へ？　そうなの？

ヤマムラさんはきびしい顔つきになる。缶《かん》の中身を捨《す》て、スーパーの袋《ふくろ》につっこむと、動揺《どうよう》しているオレたちに向かって言ったんだ。

「おい、これを買ったのはだれなんだ？　この不良少年め！　これからオレの車で警察《けいさつ》に行くぞ！」

まさか、このくらいのことで逮捕《たいほ》されたりしないよな……。

「すみません。もう二度としませんから、見逃《みのが》してください！」

3人で頭を下げたが、ヤマムラさんはオレたちを本気で連れていこうとしているらしい。

未成年がノンアルコールビールを飲むと罪《つみ》になるのだろうか。

解説《かいせつ》

この話はちょっと微妙《びみょう》な回答になる。未成年が「アルコール0%《パーセント》」のノンアルコール飲料を飲んでも、法律上《ほうりつじょう》は罪《つみ》にならない。ただし、ノンアルコール飲料は「20歳《さい》以上」向けに作られた商品。スーパーやコンビニでも酒類コーナーに置かれており、20歳《さい》以下には販売《はんばい》を「自粛《じしゅく》」し、年齢確認《ねんれいかくにん》をすることが一般《いっぱん》的なルールとなっている。ノンアルコール飲料でお酒の味を覚え、本物の飲酒につながることが心配されるからだ。

そもそも20歳《さい》以下の飲酒が禁止《きんし》されているのは、①発育に影響《えいきょう》を与《あた》えるため、②急性《きゅうせい》アルコール中毒《ちゅうどく》になりやすいためである。

ヤマムラさんは、主人公が自分をからかおうとしているのを察して、おどかすために「警察《けいさつ》につき出す」と言っただけ。逮捕《たいほ》されることはない。ヤマムラさんは3人を連れてヨウスケがノンアルコールビールを買ったスーパーに向かい、「ちゃんと年齢確認《ねんれいかくにん》をして売るように」と店長に進言をしたのである。

49

降《ふ》ってわいた幸運

釣銭《つりせん》→有罪《ゆうざい》？

大学のテニスサークルの練習が終わって。

みんながダーツをやりに行くっていうのを断《ことわ》って帰ってきたのは、今月の予算が心もとないからだ。

あたしは駅からの道をシイカと並《なら》んで歩いていた。シイカも同じく「お金がない」ってことでダーツはやめたんだ。それで、シイカがあたしんちに泊《と》まりに来ることになって。

おやつとか飲み物とか明日の朝ごはんとか何にもないから、コンビニに寄《よ》ったんだけど。

「８６４２円のお返しになります。お確《たし》かめください。」

お釣《つ》りを受け取ったあたしは、「え？」と言いそうになったのをのみこみ、せきばらいをしてごまかした。

５千円札が１枚《まい》、千円札３枚《まい》、それから６４２円の小銭《こぜに》をすばやくおさいふにしまう。いつもはもらわないレシートも受け取ってポケットにつっこんだ。コンビニ袋《ぶくろ》を断《ことわ》ったので、レジ台に置かれた商品をエコバッグにポンポン投げこむ。

「ありがとうございました。」

店員さんの声を背《せ》に――あたしは平静を装《よそお》いながら店を出た。


「お待たせ。さ、行くよ！」

先に買い物を終えて外で待っていたシイカがスマホから顔を上げる。

あたしは笑い出しそうになるのをこらえてシイカの腕《うで》を引っぱった。

「シイカ、早く！」

交番の前を急いで通りすぎると、あたしはレシートを取り出した。

「すっごいラッキー！　5千円札を出したのに店員さんが1万円札とまちがえて、お釣《つ》りを多くもらっちゃったんだ。」

「ええ、もうかったじゃん！」

シイカはそう言いながら、後ろを気にする。

「後ろ見ないでよ。あやしいから。」

「でも……ねえ、あれコンビニの人じゃない？」

後ろをチラッと見てギョッとした。

さっきの店員さんがおまわりさんと連れ立って走ってくる。おまわりさんがいっしょってヤバいじゃん？

逃《に》げたらおかしいもんね。落ち着かなきゃ。さいふの中見せろって言われても、知らんぷりすればごまかせるでしょ。

でも、盗《ぬす》んだわけじゃないもん。まちがえたのは向こうだもん。

堂々《どうどう》として1万円出したって言いはっちゃお。

うん、それしかない。それか、気づかなかったフリする？

ああ、どうしよう。

頭がグルグルして考えがまとまらない。

そうこうしてるうちに、店員さんが声をかけてきた。

やっぱり、あたしに「返せ」って言いにきたんだ！

ところが――店員さんが息を切らせて言ったのは予想外なことだったんだ。

「追いついてよかった。どっちに行ったのか、おまわりさんに教えてもらったんです！　はい、お買い上げのお茶、入れ忘《わす》れてますよ！」

店員さんはニコニコしてペットボトルを差し出す。

え、お茶⁉

お茶なんて買ってないけど？

あたしは目線を上げて店員さんの顔をながめた。

「このお茶、買いましたよね？　レシートをよく確《たし》かめてください。」

「あ……。」

あたしはポケットのレシートを探《さぐ》った。

今、あたしは白状《はくじょう》するチャンスを与《あた》えられているんだ――。

主人公がもらうべきお釣《つ》りは3642円なのに店員のミスで5千円も多く受け取ってしまった。だまっていた場合、本当に罪《つみ》になるのだろうか。

解説《かいせつ》

罪《つみ》になる。店員は、主人公が店を出た直後にお釣《つ》りをまちがえてわたしたことに気がついた。「お茶を入れ忘《わす》れた」というのは、主人公を追いかける口実である。

主人公はレシートを取り出し、「お釣《つ》りを多くもらいすぎた」と5千円札を素直《すなお》に返した。店員は「レジで気づいていたかどうか」は問わずに許《ゆる》してくれ、おまわりさんに言いつけることもしなかったのである。

相手のミスでも、「多くもらいすぎたと認識《にんしき》していたのに持ち去った」場合、人をだましたことになり「詐欺罪《さぎざい》」が成立する可能性《かのうせい》がある。相手のミスを知らせる義務《ぎむ》があるからだ。その場では気づかず、家に帰ってから気づいたのに返さなかった場合も有罪《ゆうざい》。どんなに少額《しょうがく》であっても必ず返すべし！

50

予期せぬ指名

裁判《さいばん》↓なぜ？

裁判所《さいばんしょ》から何か届《とど》くなんて心当たりがなかったので、とまどった。

でも、たしかに封筒《ふうとう》のあて名にはオレの名前が書いてある。

中に入っている書類によると――オレは「裁判員《さいばんいん》の候補《こうほ》になった」らしい。

知らない間に何かやらかして、どこかのだれかに訴《うった》えられたんじゃなくてよかった。

だけど……裁判員《さいばんいん》って!? 聞いたことあるけど、たしか一般人《いっぱんじん》が裁判《さいばん》に参加するってヤツだよな。といってもオレは法律《ほうりつ》とは無縁《むえん》な、生物学を学ぶ大学3年生だけど、いいのかな。

首をひねっていると、父さんが帰ってきた。さっそく話すと、父さんは「うらやましいな。なかなか選ばれるもんじゃないぞ」と目を輝《かがや》かせている。

「そうなの？　もしかして……オレが人格的《じんかく》にすばらしい人間だっていううわさが裁判所《さいばんしょ》に届《とど》いて選ばれたのかな？」

わりと本気で言ったんだが、父さんはプッとふきだした。

「裁判員《さいばんいん》は、くじで選ばれるんだ。」

「くじ!?　そんな雑《ざつ》に選んでいいわけ？」

「選挙権《せんきょけん》のある成人の中から選んでるんだ。雑《ざつ》ってわけじゃない。選挙に参加することだって責任《せきにん》ある行為《こうい》なんだからな。」

なるほど。そう言われれば納得《なっとく》できる気がしてきた。

今の「候補《こうほ》になった」段階《だんかい》で辞退《じたい》しなければ、さらにくじ引きが行われて、決定したら改めて通知が来るんだって。

「裁判《さいばん》に参加するとか、ちょっとおもしろそうだけど人を裁《さば》くなんて責任《せきにん》重大だよな。有罪《ゆうざい》か無罪《むざい》か……人の人生に関わる決定を下すわけだろ？」

「そうだ。有罪《ゆうざい》の場合は、どの程度《ていど》の刑罰《けいばつ》にすべきかも決定することになる。でも、一人で裁《さば》くわけじゃない。裁判官《さいばんかん》や同じ裁判員《さいばんいん》の人たちといっしょに議論《ぎろん》をして結論《けつろん》を出すんだから。」

父さんの話を聞いているうちに、だんだん裁判員《さいばんいん》っていうのを体験してみたい気持ちになってきた。

「法律《ほうりつ》を勉強しておかないとな。裁判員《さいばんいん》に選ばれたときのために。」

意気ごんで言うと……応援《おうえん》してくれると思ったのに、父さんの返事は拍子《ひょうし》ぬけするようなものだった。

「いや。わざわざ勉強する必要はないよ。」

父さんは、主人公が裁判員《さいばんいん》を経験《けいけん》することに賛成《さんせい》のようだ。それなのに前もって「法律《ほうりつ》を勉強する必要はない」と言った意図は何だろうか。

解《かい》説《せつ》

裁判員《さいばんいん》には、「ふつうの人の視点《してん》」が必要と考えられている。裁判官《さいばんかん》はもちろん専門家《せんもんか》だが、理論にとらわれすぎたり、慣《な》れから事件《じけん》に対する見方や考え方がかたよることもある。裁判員《さいばんいん》に期待されるのは、年齢《ねんれい》も人生経験《けいけん》も立場もさまざまな人々《ひとびと》が裁判《さいばん》に加わり、議論《ぎろん》の内容《ないよう》に深みが増《ま》すことだ。「法律《ほうりつ》の知識《ちしき》がない方がいい」とまでは言わないものの、父さんは「ちょっと勉強した程度《ていど》の知識《ちしき》にとらわれない方がいい」と考えてこう言ったのだ。

裁判《さいばん》員が参加できる裁判《さいばん》は殺人《さつじん》、放火、誘拐《ゆうかい》など一般《いっぱん》の人が「事情《じじょう》を理解《りかい》できるような事件《じけん》」に限《かぎ》られる。裁判員《さいばんいん》は裁判《さいばん》に立ち会い、「裁判員《さいばんいん》6名＋裁判官《さいばんかん》3名」で話し合い、全員で「有罪《ゆうざい》か無罪《むざい》か」を、有罪《ゆうざい》の場合「刑《けい》の内容《ないよう》」を決めることになる。法律《ほうりつ》や裁判《さいばん》は、人間の生活の中の必要性《ひつようせい》から生まれたもの。裁判員制度《さいばんいんせいど》は、みんなが社会の一員として世の中を見つめ、法によって人を守り、罰《ばつ》を与《あた》える——そのよりよいあり方を形作っていくために考えられたのだ。

参考文献

『あなたの知らない　知識の博物館』世界の雑学研究会／著（彩図社）
『あなたの知らない「ヘン」な法律』なかむらいちろう／著（三笠書房）
『言いがかり１１０番』藤井勲／編著（企業開発センター）
『いまはそれアウトです！』菊間千乃／著（アスコム）
『ＮＨＫびっくり法律旅行社』びっくり法律旅行社制作班／制作（徳間書店）
『おっさんず六法』松沢直樹／著　山岸純／監修（飛鳥新社）
『古今東西　トンデモな法律』オフィステイクオー／著（河出書房新社）
『困ったときのくらしの法律知識　Ｑ＆Ａ』五月会　くらしの法律研究会／編著（清文社）
『小学生からのなんでも法律相談』全5巻　小島洋祐／監修（文研出版）
『生活トラブルで損をしたくないならこの1冊』河野順一／著（自由国民社）
『生活実用法律事典』國部徹／監修（自由国民社）
『世界のトンデモ法大全』知的好奇心研究会／編著（リイド社）
『法律の抜け穴全集』法律書編集部／編（自由国民社）

栗生こずえ

東京都生まれ。小説家、編集者、ライター。マンガを紹介する書籍の編集多数、児童書ではショートショートから少女小説、伝記まで幅広く手がける。おもな作品に、「3分間サバイバル」シリーズ(あかね書房)、『トリッククラブ キミは18の錯覚にだまされる!』(集英社みらい文庫)、『かくされた意味に気がつけるか? 3分間ミステリー 真実はそこにある』(ポプラ社)、『ストロベリーデイズ 初恋〜トキメキの瞬間〜』『ストロベリーデイズ 友情〜くもりのち晴れ〜』(主婦の友社)など。『必ず書ける あなうめ読書感想文』(学研プラス)はロングセラーを記録中。

装画　しきみ
校正　株式会社夢の本棚社
装丁　小口翔平＋奈良岡菜摘(tobufune)

3分間サバイバル
有罪か無罪か?　常識の死角

2022年8月初版　2023年10月第4刷

作　栗生こずえ
発行者　岡本光晴
発行所　株式会社あかね書房
〒101-0065 東京都千代田区西神田3-2-1
電話　営業(03)3263-0641
　　　編集(03)3263-0644
印刷・製本　中央精版印刷株式会社

NDC913　255ページ　19cm×13cm

ISBN978-4-251-09684-5

https://www.akaneshobo.co.jp
※本書の見解は、初版出版時の法律にもとづくものです。